Londres, le 30. III. 2015

Pour Pierre Riché,

VINGT MILLE MILLIARDS
DE D̶O̶L̶L̶A̶R̶S̶ mercis

pour ces retrouvailles et
ces belles journées européennes.

Amitiés,
Edmond

DU MÊME AUTEUR

ANALYSTE: AU CŒUR DE LA FOLIE FINANCIÈRE, Grasset, 2005.

ÉDOUARD TÉTREAU

VINGT MILLE MILLIARDS DE DOLLARS

Le nouveau défi américain

BERNARD GRASSET
PARIS

ISBN 978-2-246-74111-4

Pour Mazarine, Marguerite, Joséphine et Alexandra

« – Et l'argent qu'il va falloir rendre !
– Bellerose,
Vous avez dit la seule intelligente chose.
Au manteau de Thespis je ne fais pas de trous :
Attrapez cette bourse au vol, et taisez-vous ! »

Cyrano de Bergerac, acte I, scène 4.

Introduction

Pour rembourser vingt mille milliards de dollars, il n'y a pas trente-six mille solutions.

Vingt mille milliards de dollars, c'est la somme de la dette publique américaine attendue en 2020[1]. Avec des chiffres, elle s'écrirait ainsi : US $ 20 000 000 000 000,00. A part la richesse annuelle créée par tous les habitants de la Terre[2], je ne connais pas beaucoup de montants plus élevés ici-bas.

Première possibilité de remboursement : organiser une vente aux enchères de tous les meubles et maisons résidentielles en Amérique. Leur valeur est justement estimée par la Réserve fédérale américaine à vingt mille milliards de dollars[3]. Les Américains, par patriotisme, seront priés de verser tout le produit de la vente au Trésor américain.

---

1. Un peu plus, en fait : 13 000 milliards de dollars au moment où ce livre est publié (Trésor américain) + 8 500 milliards de dollars de déficits cumulés d'ici à 2020, d'après le Congressional Budget Office.

2. Le PIB de la Terre était de 58 000 milliards de dollars en 2009 (c'est la CIA qui le dit : www.cia.org)

3. Source : *US households net wealth*, Réserve fédérale, mars 2010 (« Tangible assets » ; 23 000 milliards de dollars).

Deuxième possibilité : demander à Coca-Cola de reverser tout son chiffre d'affaires annuel mondial. Pendant 650 ans[1]. Même en forçant les 7 milliards d'êtres humains à démultiplier leur consommation de cette boisson gazeuse, les créanciers de l'Amérique risquent d'attendre longtemps.

Troisième possibilité, la plus simple : l'ardoise magique. Les Américains ne remboursent pas leur dette. C'est plus simple. Pour eux, mais pas pour nous. C'est pourtant ce qu'ils vont faire.

Après avoir vécu et travaillé ces trois dernières années en Amérique, passant de George W. Bush à Barack Obama, de la crise financière du siècle à une reprise économique aussi rapide que déconcertante, je reviens en France avec une bonne et une mauvaise nouvelle.

La bonne nouvelle, d'abord : l'Amérique est de retour. On peut en rire ou en pleurer, s'en émouvoir ou s'en agacer, une réalité s'impose : l'Amérique, première responsable de la crise financière de 2008, est repartie de plus belle. Comme s'il ne s'était rien passé.

Feu de paille, dopage ou réalité durable ? Pour comprendre ce miracle américain défiant les lois du bon sens et les lois tout court, j'ai repris mes notes et carnets qui m'ont accompagné pendant ces trois années de bascule, pour les organiser dans ce livre. Dans la première partie (« Requiem pour l'Amérique »), me promenant depuis le centre géographique de l'Amérique jusqu'à New York, de l'été 2007 jusqu'à la faillite de Lehman

---

1. Sur la base du chiffre d'affaires annuel 2009 de Coca-Cola (31 milliards de dollars).

Brothers à l'automne 2008, j'ai vraiment cru que l'Amérique s'effondrait sous mes yeux. Dans les domaines les plus essentiels de la vie – le logement, la nourriture, la santé, la justice, l'éducation, le rapport aux autres, au corps, à la foi, au travail – elle avait tout faux. A l'issue de cette première période, depuis mon balcon new-yorkais sur la crise financière, j'avais enterré l'Amérique.

A tort. La deuxième partie du livre (« Born-again, made in USA ») raconte ma découverte d'une autre Amérique, de New York à Palo Alto, en passant par Washington DC et Nogales, une ville frontière avec le Mexique, en plein désert d'Arizona. Au gré de mes rencontres et voyages s'imposait une réalité nouvelle : l'Amérique n'avait pas dit son dernier mot. Sa vitalité démographique et démocratique ; sa capacité à innover et à se renouveler dans tous les domaines ; un mélange rare d'optimisme et de résistance à la douleur constituent sa dynamique de première puissance mondiale, que rien ne semble devoir arrêter.

Rien, à une exception près : l'Amérique a un gros problème avec l'argent. Alexis de Tocqueville l'a identifié le premier, affirmant dès 1835 : « Je ne connais même pas de pays où l'amour de l'argent tienne une plus large place dans le cœur de l'homme, et où l'on professe un mépris plus profond pour la théorie de l'égalité permanente des biens[1]. » Pouvait-il imaginer les proportions prises par cet amour et ce mépris-là, deux siècles plus tard : une ardoise de vingt mille milliards de dollars ? Une société encore plus inégalitaire que celle des nations

---

1. *De la démocratie en Amérique.*

européennes avant leurs révolutions ? Un argent instable, devenu fou, hors de tout contrôle.

Aussi formidable que soit la capacité de réinvention de l'Amérique, elle bute et se brise sans cesse sur le mur de cet argent qui ne lui appartient pas, et qu'elle promet de rembourser un jour : ses vingt mille milliards de dollars de dettes, fruits de ses appétits désordonnés de consommation et de possessions individuelles. En quittant les Etats-Unis à l'été 2010, la litanie des fermetures d'écoles, d'hôpitaux, de services de police, les faillites annoncées de plusieurs grandes municipalités et Etats dessinaient le visage d'une société encore plus déséquilibrée que celle que j'avais découverte en arrivant en 2007.

Or, voici la mauvaise nouvelle nous concernant : l'Amérique est malade de son rapport à l'argent, mais elle va se soigner en le faisant payer au reste du monde. L'Amérique est trop endettée vis-à-vis des pays extérieurs, pour s'encombrer plus longtemps d'un tel fardeau. Parce que ses intérêts le commandent, l'Amérique va bientôt effacer, petit à petit ou d'un coup de clic informatique, les dizaines de milliers de milliards de dollars de dettes accumulées ces dernières années. Cette anticipation d'une apocalypse économique mondiale forme la dernière partie de ce livre, rédigée au printemps et à l'été 2010, avant mon retour en France. *Health warnings* : le pire n'est pas toujours sûr, en particulier avec l'Amérique – si tant est que ce mot singulier ait un sens pour une nation aussi plurielle : les Américains (dont on verra au fil de ces pages qu'ils sont tout sauf un bloc homogène) n'ont pas cessé de me surprendre, et souvent positivement, pendant ces trois années. L'élection miraculeuse de Barack Obama en est l'exemple le plus saisissant.

Cela étant, ce que j'ai compris de l'Amérique et des Américains, aussi généreux dans la victoire que prêts à tout pour ne pas perdre, ainsi que mon expérience et parfois mes anticipations[1] des crises financières récentes, du krach internet de mars 2000 à la crise de 2008 en passant par le Vivendi Universal de M. Messier en mars 2002, fondent cette anticipation d'une crise à venir, bien plus sérieuse que celle de 2008.

La crise financière de 2008, où des centaines de milliards de dollars furent effacés d'un coup, était en somme un galop d'essai avant une épreuve de vérité : la chute du dollar et de toutes les monnaies et économies du monde avec lui. Pour comprendre l'origine de ce choc planétaire, et identifier les moyens d'y faire face, je vous invite à m'accompagner dans cette découverte de l'Amérique du XXIᵉ siècle. La visite commence sur la Route 36 du Kansas, dans la torpeur de l'été 2008. Quelques semaines avant l'orage et la faillite de Lehman Brothers, dernier coup de semonce avant la crise qui vient. Une crise à laquelle nous ne pourrons survivre, ultime paradoxe, qu'en devenant plus américains.

---

1. Cf. *Analyste : au cœur de la folie financière* (Grasset, 2005) et compte-rendu d'audition devant la commission des finances du Sénat le 10 mai 2006 : http://www.senat.fr/compte-rendu-commissions/20060508/fin.html

PREMIÈRE PARTIE

Requiem pour l'Amérique

Manhattan, Kansas :
au commencement était le Vide

> « En Amérique, c'est la religion qui mène aux
> lumières ; c'est l'observance des lois divines qui
> conduit l'homme à la liberté. »
>
> ALEXIS DE TOCQUEVILLE,
> *De la démocratie en Amérique.*

Nord du Kansas, Route 36, Morrowville, 26 juillet 2008

Personne n'aurait l'idée saugrenue de partir, par un beau week-end d'été, à Lebanon, Kansas. Au milieu de nulle part, du Grand Rien : le milieu du Midwest. Là où se trouve le centre géographique des 48 Etats américains formant un territoire continu[1].

Personne, sauf moi. J'ai voulu aller voir ce centre. Ce n'est pas anodin, un centre : celui d'un cyclone, par exemple, s'appelle le vortex. Un endroit où tout est calme, autour duquel se déploient les forces les plus prodigieuses. C'est cela que j'ai été chercher, après

---

1. C'est-à-dire en excluant Hawaï et l'Alaska. Calculé par le US Coast and Geodetic Survey de 1918.

trois heures de vol New York - Kansas City, et quatre cent cinquante kilomètres de routes très droites, dans la région des Grandes Plaines : l'œil du cyclone américain.

Or, aussi artificiel que puisse paraître ce procédé – aller chercher le centre introuvable –, ce voyage réserve une surprise de taille.

Vers midi, j'attaque ma troisième heure de conduite au milieu d'une campagne vide, où trois curiosités égayent le paysage : les sorties « *food* », les sorties «*gas*», et les sorties «*food and gas*». Au bout de trois cents kilomètres, je décide de créer une diversion. J'allume la radio.

Dans le Kansas, le nombre de stations captées est aussi faible que la densité de la population : on y compte 13 habitants au kilomètre carré, soit 7 fois moins que la moyenne française. Je zappe consciencieusement. Une radio sur trois produit des sons ressemblant à de la musique. Surtout de la musique *country*. Les radios parlées sont encore plus étranges. Je capte des mots familiers : *Lord, Jesus, sin, God, evil, pray.*

Des radios religieuses. Pas n'importe quelle religion : des radios chrétiennes conservatrices. Je prête une oreille attentive aux radios émettant sur d'innombrables fréquences[1]. Ma première écoute a tout de suite donné le ton. C'était une publicité : « Call 888 NEEDHIM ». Littéralement : «Appelez le 888 BESOIN DE LUI ».

---

1. Pour retrouver ces programmes, consultez sur la Route 36 du Kansas les fréquences 88.1, 90.3, 90.5, 91.7, 92.5, 96.3, 98.3, 104.9, 105.7, 106.1, 106.9, et 107.9.

Dans le Midwest, l'appel au Seigneur est surtaxé. Il faut bien nourrir et faire vivre les animateurs de radios conservatrices. A l'instar de Rush Limbaugh, star de l'aile droite du Parti républicain, qui signait en 2008 un contrat d'animateur de 400 millions de dollars pour exercer son art spirituel radiophonique pendant huit ans[1].

Ce matin, un de ces animateurs prend en direct les appels des auditeurs, qui lui donnent le titre de Docteur.

La première auditrice nous livre les tourments de son âme. «Docteur, Docteur, je ne sais pas quoi faire. Je m'habille toujours d'une façon modeste. *Not in the wrong way.* La semaine dernière, j'ai mis une robe pour aller à l'église. Et, à l'église, un homme m'a regardée d'une façon inappropriée. Depuis, je ne dors plus. Je me sens sale. Coupable. J'ai commencé à faire des cartons avec toutes mes robes. J'hésite à les donner, à les brûler, à les jeter. Oh, c'est affreux. Pardon! Que dois-je faire, Docteur?»

J'attends avec impatience la réponse du Docteur, que j'espère raisonnable.

«Madame, vous avez raison. Votre réaction est digne, et responsable. Vous avez un devoir envers votre communauté, votre famille. Je vous encourage à prendre la décision inspirée (*inspirational*) de donner ces vêtements

---

1. Parmi les perles de M. Limbaugh, relevons, sur Haïti : «Bill Clinton, envoyé à Haïti. Je vais vous dire moi, si j'étais nommé envoyé à Haïti (*rires*), je donnerais ma démission au gouvernement. Là bas on ne peut même pas aller voir une prostituée sans craindre d'attraper le sida. C'est pas un endroit pour Clinton, ça.» (Source : *The Guardian*, Media Matters, 20 mai 2009.)

plutôt que de les brûler. Nous prions avec vous. Achetez mon livre, il vous aidera. » Et le Docteur, consciencieusement, de donner les références de son livre, promis aux meilleures ventes.

Quelques fréquences et kilomètres plus loin, j'écoute une publicité pour un livre très pratique : les quatre raisons pour lesquelles les enfants se comportent mal (*why kids misbehave*), et comment les textes saints, revisités par les docteurs du Midwest, parviendront à bout des turbulences de ces enfants indisciplinés.

Sur une autre fréquence, un *talk-show* endiablé : les radioévangélistes sont déchaînés. Pas contents du tout ! Ils discutent de l'actualité politique et internationale. Or, cette semaine-là, ils ne sont pas à la fête. Barack Obama vient de boucler une tournée triomphale en Afghanistan, en Irak et en Europe, faisant passer les messages que le monde n'osait plus attendre de la part d'un dirigeant américain : 1) La guerre en Irak a été une erreur dramatique et coûteuse. 2) Nous devons en sortir dignement et rapidement. 3) Je suis un citoyen du monde.

Face à de tels blasphèmes, les radioévangélistes dressent leur réquisitoire contre Barack Obama. Pardon, « Hussein » Obama. C'est comme cela qu'ils l'appellent, et pas autrement. Ce qui donne les phrases suivantes, prononcées dans ce talk-show radiophonique de haute volée :

— Hussein Obama est allé en Irak, le pays de Saddam Hussein, libéré par George Bush.
— Hussein Obama a tort (d'avoir été contre la guerre en Irak). John McCain a raison.

— Hussein Obama est allé en Afghanistan, mais Hussein Obama n'a pas voulu voir nos soldats blessés dans un hôpital en Allemagne. Hussein a tort. McCain a raison. («*Hussein is wrong. McCain is right.*»)

Le «débat d'actualité» se termine sur une saillie indépassable : fallait-il aller ou non en Irak? «Ecoutez, sur le sujet des armes de destruction massives, je ne crois pas que les médias disent toute la vérité. J'ai parlé à des officiers qui sont allés en Irak. Ils ont vu les armes! Elles étaient là, mais personne n'a voulu en parler. On nous ment. Hussein nous ment. Obama nous ment. McCain a raison.»

CQFD.

Sur 96.3, et alors que j'emprunte la Route KS-181 qui me rapproche du centre de l'Amérique, soudain, la radio grésille : *WARNING!* «Attention, ceci est un message d'alerte.» Il est question de *severe thunderstorms* du côté de Philips County[1].

C'est là où je vais! A 15 *miles*. Le ciel s'assombrit brutalement. Un ou deux éclairs commencent à déchirer les nuages. Une pluie battante, des rafales de vent secouent la voiture. Nous sommes dans la région des Grandes Plaines, terrain de jeu privilégié des tornades.

A droite de la route s'étend la petite ville de Lebanon.

---

1. *Post-scriptum* : quelques semaines plus tard, le 4 novembre 2008, le comté de Philips, où se situe le centre géographique de l'Amérique, a voté à 79%, un peu pour John McCain, et surtout pour sa vice-présidente, l'appétissante pentecôtiste créationniste Sarah Palin. Elle ne croit pas aux dinosaures parce que la Genèse n'en parle pas ; en revanche, elle voit dans la guerre en Irak une mission divine.

Dans la rue principale, un seul grand bâtiment se dresse, fier et flambant neuf, tout de brique rouge : l'église. Tout autour, des maisons abandonnées. Des caravanes de romanichels, sans romanichels. D'autres maisons, dévastées, aux toits effondrés, du fait d'une tempête récente.

Pas un commerce. Lebanon, centre de l'Amérique, est une ville morte, avec une église toute neuve. Mon téléphone mobile ne capte plus aucun signal. Je reprends la Route KS-191, pressé d'en finir : vite, voir le centre de l'Amérique, et repartir à Manhattan. Encore un *mile*. Je suis décidément bien seul dans ce périple : aucune voiture, aucun car à l'horizon. Pour un pays prompt à l'autocélébration, cette absence d'infrastructures touristiques lourdes au centre géographique de l'Amérique me surprend. Où sont les casinos, les cinémas, les parcs à thème ?

A droite, une ferme. A gauche, un étang. Un peu plus loin, un épouvantail en forme de croix. Ne manque plus que le croassement des corbeaux ou les rondes de vautours. Mais les orages ont dû les faire fuir. J'arrive au bout de la route et de mon chemin. Un panneau jaune et noir l'indique clairement : *END*. Comme dans un film.

Le vide, donc, au croisement des Routes 191 et AA. Je descends de ma voiture. Derrière un arbre se cache un tas de pierres, ordonnées en triangle. Comme une fortification militaire. Les pierres sont réunies avec du mauvais ciment. Au-dessus, une tige de métal rouillé se dresse. Une paire de boulons fixe une autre tige de métal, sur laquelle se hisse péniblement un drapeau américain. Sale. Presque moisi. Comme en berne[1].

Derrière ce drapeau fatigué, je distingue une croix entourée de cyprès. Une plaque métallique indique que je suis bien au centre des Etats-Unis d'Amérique continentale (hors Alaska). Date : 25 avril 1940.

Je reste un quart d'heure, arpentant ce non-lieu, plongé dans un océan de perplexité et de solitude, certain que quelqu'un, quelque chose viendrait se manifester, pour m'aider à percer l'énigme de ce centre vide. Rien n'arrive. Sauf la pluie. Il est temps de rentrer. A Manhattan. Mais dans le Kansas.

En effet, avant d'entreprendre ce voyage au milieu de nulle part, j'avais pris soin de repérer les curiosités touristiques alentour. Une seule avait attiré mon attention : à deux cent kilomètres de Lebanon, se trouvait... Manhattan ! Surnommée la « Petite Pomme », cette ville avait été honorée quelques mois plus tôt par le magazine *Money* – dont le titre résume assez bien l'ambition éditoriale. *Money* avait classé Manhattan, Kansas, 45 000 habitants, parmi les dix villes les plus agréables pour prendre sa retraite jeune aux Etats-Unis. Je décidai d'y aller, certain de rencontrer dans ce Manhattan miniature un concentré du meilleur de l'Amérique.

---

1. Une infraction assez grave pour la loi du Kansas, qui considère la dégradation du drapeau comme un crime si la « valeur de la propriété endommagée » excède 500 $.

Manhattan, Kansas : la « Petite Pomme »

Sur le chemin du retour, j'écoute d'une oreille distraite les saillies des radios évangélistes. Mention spéciale pour ce spot publicitaire d'un candidat aux élections sénatoriales pour la zone nord du Kansas. Il se présente de façon très claire. Il se dit *pro-life*, mais la liste de ce contre quoi il se bat est impressionnante. Il est contre l'avortement ; contre l'immigration ; contre le mauvais traitement des animaux ; et contre les enfants dissipés qui se bagarrent à l'école. Une seule cause *positive* le motive : le port d'armes pour tous, sans restrictions. Ce qui signifie : fusils-mitrailleurs inclus. *Pro-life* à mort, en somme.

Je m'approche de la principale curiosité touristique de cette région du Kansas : Fort Riley, l'un des forts miliaires les plus importants des Etats-Unis. Au bout de la 75 Division US Army Highway, une grande rue déserte. Des stations-service, une armurerie, des relais de *junk food*. Plusieurs panneaux publicitaires. Tous tournent autour de la nourriture et de la voiture (pièces détachées, lavage, essence, etc.). Un seul panneau sort du lot, original. Une photo de GI en action, fusil-mitrailleur dans les mains, casque d'extra-terrestre sur la tête : « *Become a warrior leader* ». Devenez un chef de guerre.

Direction le centre de Manhattan. Vite, un peu de frivolité, de légèreté, de douceur, de fainéantise même. Où sont les jeunes et riches retraités de CNN-*Money* ? Au golf ? A la piscine ? Dans les boutiques de luxe ? Il est

16 heures, ce samedi 26 juillet, et je m'approche de la
« Petite Pomme », désireux d'y trouver l'opulence et
l'abondance annoncées par le magazine *Money*.

Des travaux sont signalés sur la route. Un petit panneau annonce le tarif : « *Hit a worker ? 10 000 $ fine, lose a
licence* ». Il vous en coûtera votre permis et 8 000 euros si
vous renversez un ouvrier.

Redoublant de vigilance, je pénètre dans les fau-
bourgs. Ils ressemblent en tous points à tous les fau-
bourgs de toutes les villes américaines que j'ai visitées :
maisons en bois (l'Amérique n'a pas de pierre), comme si
elles étaient là temporairement ; jardins impeccablement
tondus. Sur les pelouses fleurissent diverses pancartes
affichant la couleur politique du foyer : Votez Machin
pour le Congrès. Bidule pour le Sénat. Truc comme
représentant. Mais le slogan politique qui fait l'unani-
mité à Manhattan comme ailleurs cet été 2007, c'est le
slogan *For Sale*. Maison à vendre. A peu près une pan-
carte toutes les quatre, cinq pelouses.

Le centre de Manhattan, lui aussi, est vide ! Une vraie
ville fantôme. J'enchaîne les rues sans piétons ni voitures,
où s'alignent des constructions du début du XXᵉ siècle.
Pas une marque connue, ni de vêtements, ni de banques,
ni de nourriture. Ici, un centre pour les vétérans des
dernières guerres. Un peu plus loin, la banque du Kansas.
Des devantures à moitié vides, à peine dépoussiérées.
L'établissement le plus délabré est le Manhattan
Workforce Centre, sorte d'ANPE locale.

Où sont les gens ? Où est la vie ? Je traverse le centre,
et découvre à la périphérie une station-service, et
quelques commerces ouverts. Dont Old Mike, un

marchand d'armes à feu. J'entre chez Old Mike, persuadé qu'un colt à la ceinture serait approprié dans ce décor de western. Six sexagénaires discutent tranquillement le coup, entourés d'une dizaine de cannes à pêche, d'une trentaine de fusils à pompe, de quelques fusils à canon court, et d'un nombre considérable d'armes de poing.

Un des fusils à canon court m'apparaît dans toute sa splendeur. Il brille de mille feux. Je suis à peu près sûr d'avoir vu le même modèle dans la scène finale de *Scarface*, lorsque le tueur à Bombers vert et lunettes noires exécute Al Pacino de deux balles dans le dos.

Je regarde le prix : 200 dollars ! Une aubaine ! Pour le prix du dernier iPhone, je peux me défendre contre qui je veux, quand je veux. Chez moi, au bureau, ou en voiture dans les embouteillages. Très pratique pour régler les conflits de voisinage ou les désaccords professionnels. Je manifeste mon intérêt auprès du gérant, assis tranquillement sur son tabouret, veste de chasse pleine de cartouches sur les épaules.

Ce dernier fronce le sourcil. «Vous n'êtes pas d'ici, vous ?» L'accent français ne lui a pas échappé. Je lui explique que je suis de l'autre Manhattan. «Ah, je vois...» Et de se retourner vers ses copains et de rire bruyamment. A Manhattan, Kansas, le New-Yorkais est un sujet de plaisanterie.

«Vous n'êtes pas du Kansas. Je ne peux pas vous vendre d'armes. Si vous étiez du Kansas, pas de problème. Vous n'êtes pas étudiant ?» Ni en armes, ni en rien du tout.

« Parce que, si vous aviez été étudiant dans notre université, alors là pas de problème. Je pourrais vous vendre tout ce que vous voulez, puisque vous seriez résident, même temporaire, de notre Etat. »

Intéressant. Je repense au dernier carnage dans une université américaine, opéré six mois auparavant à la Northwestern University de l'Illinois par Steven Phillip Kazmierczak, 27 ans, à l'aide d'un fusil Remington calibre 12, et de trois revolvers, un Glock 9 mm, un Hi Point 380 et un SIG Sauer 9 mm. Les études sont un passeport pour la vie. Ou la mort de vos camarades.

Je quitte Old Mike, déçu, et file à mon hôtel, avant une soirée que j'espère moins vide que mon après-midi. Le réceptionniste de l'hôtel me conseille de dîner chez Harry's, sur la principale artère de Manhattan, Poyntz Avenue. J'entre dans le Harry's, qui a peu à voir avec son homologue de la rue Daunou à Paris.

Une table sur trois est occupée. J'en prends une avec vue sur l'avenue, espérant y voir un ballet incessant de jeunes retraités exhibant leur bonheur sur ces Champs-Elysées du Midwest. Je suis le seul à être seul à ma table. Une demi-douzaine de couples me dévisagent, comme si j'étais une bête curieuse. Un *alien*.

20 heures. Toujours pas âme qui vive sur le macadam. A côté du Harry's, un grand bâtiment, le Warham Building, façon Cinema Paradiso, affiche le film du jour : *Congratulations Raymond and Lisa*. Le lendemain, se jouera le film *Congratulations Aravind and Katie*. Le cinéma de Manhattan est devenu une usine à mariages.

Je consulte le guide de cette ville fantôme, sans passants, sans bruits, sans rien. Les statistiques sont sans appel : zéro boîte de nuit, zéro cinéma, quatre restaurants *fine dining* (des restaurants normaux), neuf fastfoods, et vingt-neuf *casual US dining* (fabriques de pizzas et de hamburgers). Un zoo, un étang de pêche et trois golfs.

Voilà pour les distractions. Je regarde de l'autre côté de la rue. Le bijoutier Thomas, avec son néon bleu des années 1960, éclipse presque le salon de beauté des années 1950, à la devanture vide.

21 heures. Toujours personne dans les rues. Où sont mes jeunes et riches retraités ? La réponse est à la fin du guide. M'enquérant des horaires de messe du lendemain, je consulte la rubrique « *Religious Institutions* ».

Je vis, et je crus : la ville de Manhattan, Kansas, où il n'y a pas de cinéma ni de boîte de nuit, où il n'y a rien pour occuper 44 630 âmes, compte en revanche soixante-dix-neuf (79) églises et centres religieux !

La retraite proposée par CNN et *Money* était-elle religieuse ?

Mon steak avalé, je descends Poyntz Avenue, toujours aussi déserte. Arrivé au bout, j'avise un grand bâtiment fermant l'avenue, appelé « Town Center ». Des personnes en sortent. Bizarre. Y aurait-il quelque chose à l'intérieur ?

J'entre dans l'édifice. Stupeur et tremblements ! A l'intérieur, un déluge de lumières, de sons, de vies. Des gens ! Des humains ! Des familles, des célibataires, des enfants. Un grouillement insensé. C'est le centre commercial de Manhattan, Kansas. 90 boutiques. Ils sont tous là. Gap, Sears, JCPenney, Foot Locker, Victoria's Secret, etc. Pour la première fois de ma vie, je suis content d'entrer dans un centre commercial : aseptisé, bruyant, sans ouverture sur le ciel, parfaitement artificiel. Mais à Manhattan, c'est le seul endroit où il y a de la vie.

Le lendemain matin, je prends le premier avion pour New York. En séchant la messe. Est-ce vraiment le cœur de l'Amérique, ce que j'ai découvert ce week-end-là ? Le commerce et les armes pour tromper l'ennui, et la religion au-dessus de tout ?

Le vrai dieu de l'Amérique

Première découverte fondamentale : aux Etats-Unis, il est très difficile d'échapper au fait religieux. Celui qui ne va pas « à l'église », qu'il s'agisse effectivement d'une église, d'un temple ou d'une synagogue, ne fait pas vraiment partie de la communauté. Dans ce pays immense où 95 % des personnes se disent croyantes[1], on célèbre l'individu, mais d'abord dans une communauté religieuse.

C'est l'explication que me donna plus tard un franciscain du Bronx, alors que je lui faisais part de mon étonnement face aux 79 églises de Manhattan, Kansas. « 79 églises, et pourquoi pas ! C'est le produit de la Réforme américaine : on se regroupe et on reforme la

---

1. Source : Pew Forum on Religion : « *5 % of American adults say they do not believe in God or a universal spirit.* »

communauté de Jérusalem. Pas besoin d'une autorité supérieure. Chacun crée l'image qu'il veut de son église. L'individualiste calviniste se veut seul responsable de son salut. Il n'attend rien des autres. Tout commence avec lui-même. Il ne se soumet à rien ni personne. C'est pour cela que, théoriquement, il peut y avoir autant d'églises et de sectes qu'il y a d'Américains. »

La religion est tellement structurante aux Etats-Unis qu'elle laisse peu de place aux athées. Après son discours d'investiture le 21 janvier 2009 (discours traditionnellement précédé d'une messe – en général à St John's Episcopal Church – et d'un serment sur la Bible), Barack Obama a choqué une grande part de l'Amérique, en adressant son discours « aussi à ceux qui ne croient pas – les *non-believers* ».

Même dans la Grande Manhattan, loin du Kansas, les églises et sectes pullulent, littéralement à chaque coin de rue[1]. Parmi ces églises, la paroisse de mon quartier est une paroisse comme les autres. A ceci près qu'en 2007, les quêtes dominicales y rapportèrent plus de deux millions de dollars.

Piètre performance spirituelle à cote de la nouvelle star de la religion aux Etats-Unis : Monsieur Joel Osteen, que j'ai eu l'honneur de voir en chair et en os lors d'une grand-messe mémorable. C'était un samedi de printemps en 2009, au pire moment de la crise économique.

---

1. A New York, dans un rayon de 25 *miles* autour du centre de Manhattan, on dénombre 15 660 églises et lieux de culte, dont 1 467 églises baptistes, 1 516 églises catholiques, 1 055 églises pentecôtistes, 485 églises luthériennes, 578 églises méthodistes, 576 églises presbytériennes, 952 synagogues, 28 mosquées (source : *Yellow Pages*).

Joel Osteen était venu de son Texas natal remonter le moral des New-Yorkais, le temps d'une soirée au Yankee Stadium. Une nuit d'espoir – c'était le titre de son *show*.

Si vous voulez connaître le seul dieu, le vrai dieu de l'Amérique, accompagnez-moi dans les gradins du Yankee Stadium. Je vous promets un beau spectacle.

Le voir pour le croire : Joel Osteen, le Billy Graham 2.0

Samedi 25 avril 2009, 19 heures. Me voici au Yankee Stadium. Non pas pour voir un match de base-ball, mais pour voir comment les Américains «y» croient. Quel est le secret de leur inébranlable foi dans l'avenir, dans le monde et en eux-mêmes ? Quelle cosmogonie adoptent-ils ? Quelles transes les transfigurent ? Car ce soir, le Yankee Stadium accueille non pas les dieux du stade, mais le dieu des stades : j'ai nommé Joel Osteen, la star montante du télévangélisme. Le Billy Graham[1] du XXIe siècle.

Pour vous faire une idée de Joel Osteen, je vous recommande de puiser à sa source. La présentation qu'il fait de lui-même sur son site internet vaut tous les discours[2].

Au-delà de l'extrême blancheur de son sourire, les trois premières phrases de son CV intriguent : Joel est

---

1. Célèbre télévangéliste américain au XXe siècle.
2. http://www.joelosteen.com/About/JoelOsteen/Pages/JoelOsteen.aspx

texan. D'après Church Growth Today, son «Eglise» connaît le plus fort taux de croissance de toutes les Eglises en Amérique. Il n'a pas mégoté sur la dépense pour cela : 95 millions de dollars pour rénover l'ancien stade Compaq Center, devenu Lakewood Church. Capacité d'accueil : 16 000 personnes. En plusieurs services, Joel peut ainsi recevoir 38 000 personnes par semaine. Les places pour ces «méga-messes» sont naturellement payantes.

La couverture médiatique de Joel est remarquable : d'après l'institut Nielsen Media Research, Joel est la figure charismatique (*inspirational figure*) la plus regardée à la télévision aux Etats-Unis. Audience hebdomadaire : 7 millions de personnes. Audience mensuelle : 20 millions.

Ses talents littéraires ne sont plus à prouver, nous dit le site : son livre *Your Best Life Now* s'est vendu à plus de 4 millions d'exemplaires. Mais Joel Osteen, à la pointe de la modernité, a adopté le format podcast pour ses prières et sermons hebdomadaires directement accessibles *online*.

En revanche, sur le plan de la foi, ce en quoi Joel Osteen croit ou ne croit pas, pas un mot. Joel Osteen n'est pas un prophète, mais une *success story* en chair et en os, accompagnée du trophée ultime de la réussite masculine américaine : une femme blonde. Mme Osteen, Victoria de son prénom, sourit elle aussi tout le temps, et publie des livres au contenu irréfutable : *Love your Life*, *Living Happy*, sont ses best-sellers.

Une interview qu'il donnait à Larry King, le pape de l'information sur CNN, acheva de me convaincre de prendre ma place pour la super-messe au Yankee Stadium grâce à Ticketmaster, site dédié aux réservations pour les concerts, événements sportifs, etc. Le prix des places s'échelonnait entre 15 et 230 dollars.

J'arrive un peu en avance. Premier choc : le stade est rempli à 90 %. Plus de 40 000 New-Yorkais se sont donc déplacés, par cette belle soirée de printemps, pour voir Joel et Victoria. Deuxième choc : le public. Toute la diversité sociale et ethnique de la ville y semble représentée. A ma droite : une famille de Latinos, bourgeoisie moyenne. Devant moi, un groupe de sexagénaires blancs, BCBG qui semblaient droit sortis de leur partie de golf. A ma gauche, un couple d'obèses, blancs. Un peu plus loin, une famille d'origine indienne, monsieur, madame et leurs trois enfants. Derrière moi, un groupe de quadras noirs venus entre amis, et qui fredonnaient quelques *gospels*. Un peu plus loin, un couple yuppie.

Dans ma travée, les gens scrutent l'écran géant en face de nous, indiquant le compte à rebours (arrivée du Maître dans 10 minutes), et diffusant un film mi-publicitaire mi-informatif sur les Osteen. Le tout agrémenté des logos des sponsors Budweiser, Pepsi, Delta, Casio. Thème de la soirée : l'espoir. « *A night of hope* ». Positionnement de marché habile, en pleine crise financière.

Le film nous invite à aller vivre notre foi en Osteen, *online*. Tous les thèmes de la vie courante sont abordés : couple, enfants, foi, travail. Et surtout, argent. « *God has a plan for your finances.* » Le clip montre ensuite des images d'enfants africains sous-alimentés dans des bidonvilles sordides. La voix remercie les futurs généreux donateurs, car Joel Osteen va s'occuper aussi de ces enfants-la.

Tout à coup, Joel Osteen et Victoria arrivent en courant dans le stade, par l'entrée des joueurs. Ils sont venus avec une troupe d'amis, tous très bien habillés – costumes cravates sombres pour les hommes, tenues bourgeoises blanches pour les femmes. Pendant qu'ils s'installent à la tribune, une quinquagénaire blonde entame un air de rock canaille : « *You promise me you'll never leave me… I believe that goodness and mercy will accompany me… everywhere I go.* »

Dans une chorégraphie réglée à la seconde près, cinq personnes qui ont eu l'immense honneur d'être à la tribune des Osteen débitent à toute vitesse, et sur fond de décibels, des textes saints : Psaumes, Ephésiens. En moins de trois minutes, chrono.

La dame blonde reprend du service, et balance ce qui est visiblement un de ses hits les plus populaires chez les osteeniens : « *I'm still standing…* » Autour de moi, l'expression «foule en délire» s'incarne. Tout le monde connaît le refrain et le chante, non, le hurle debout. Ma voisine obèse commencer à se trémousser en cadence, et de se frotter contre la rambarde, hot-dog à la main. Fasse le ciel que les infrastructures tiennent.

Le refrain s'arrête enfin. Le public se rassied. Non, se relève : le Maître va parler. Que va-t-il dire pour l'éternité, sanglé dans un impeccable costume de banquier d'affaires ? Pendant 30 secondes, il ne dit rien, mais sourit à la foule, presque timidement. Il regarde ses chaussures, hoche la tête avec l'air du champion de tennis qui se dit « c'est incroyable ce qui m'arrive, j'ai gagné ». La foule adore, crie.

Alors, il se mit à parler[1]. « *God bless you all... What a joy... We love you guys... You are strong in the Lord... God is not mad at you. God is madly in love with you.* » Suit une série de considérations météorologiques sur le ciel dégagé, permettant de mieux voir Dieu (« *we have a better view on God* »).

Joel annonce le thème de la soirée : l'espoir, et affirme que ce soir sera un nouveau commencement (*a new beginning*) pour chacun de nous. « Quoi qu'il arrive avec l'économie (*no matter what happens in the economy*), Dieu est avec nous. » Puis, il fit claquer une phrase simple, courte, qui devait revenir une dizaine de fois durant ce spectacle : « *Victory is in your future.* » La victoire est dans votre avenir. Ou encore : votre avenir sera victorieux.

Et pour montrer à quel point l'avenir peut être radieux pour chacun de nous, Joel fait venir sur l'estrade, à côté de lui, sa plus belle conquête : « *my beautiful wife, Victoria* ». Arrive La Blonde, dans un trench-coat Burberry's tout neuf.

Autour de moi, le public est très agité et affamé. Mes voisins boulottent leurs burgers, sirotent leurs cocas, et font passer un plateau de *chicken nuggets* bien gras. Juste derrière moi, sans doute pour mieux enraciner sa foi, un Latino a pris le parti de hurler alternativement *Yes* et *Amen* à chaque parole de Joel Osteen. Comme tout le

---

1. Les paroles qui suivent sont une transcription fidèle d'une communication qui dura dix minutes, du fait des hurlements et applaudissements entrecoupant les phrases.

public, il est venu chercher de l'espoir. Il en a eu. Il repartira gonflé à bloc. Extraits de ce dialogue entre Joel et ce *yes-man* :

« *This is a dream come true for us.* » *Yes !*, confirme mon voisin hurleur. « *Look at how right your life is, not at how wrong it is.* » *Yes, yes !*, dit mon voisin édenté, qui ne fait clairement pas partie des gens que la Providence a excessivement visités. « *Don't magnify your problems !* », insiste l'excellent Joel, dont je finis par me demander s'il n'est pas un disciple du révérend Docteur Coué. « *Yes, yes, yes !* », abonde mon voisin. « *We serve an extra-ordinary God, a supernatural God* », proclame Joel, adepte fervent de l'Eglise de Tautologie. Mon voisin, à l'invocation du nom de *God*, transforme son *yes* en un puissant *amen* qui manque de me déchirer le tympan.

Mais Joel se fait plus réfléchi, presque philosophe : « *Today, there are a lot of negative voices in the economy.* » Mon voisin ne dit rien, mais je suis sûr qu'il a envie de dire « bouh » pour vilipender ces vilaines voix. Joel contre-attaque : il ne va pas se laisser faire par le chômage, qui met à la rue 700 000 personnes par mois à cette époque aux Etats-Unis. « *Don't be talked into that… I want a supernatural year for you… it is an act of will* (sic)*… Life is too short… tell yourself : something good is gonna happen to me today.* » Mon voisin s'est transformé en mitraillette à *yes*.

Comme le reste de l'assemblée, il approche de l'extase. Joel amène tout ce petit monde au paradis osteenien, phrase après phrase. Le message est clair : faites appel à votre volonté, arrêtez de regarder le verre à moitié vide aujourd'hui, imaginez-le à moitié plein demain.

Joel termine cette première salve dans un déluge de décibels. Les osteeniens rock and roll reviennent sur scène. Ils sont déchaînés. La blonde quinquagénaire saute sur l'estrade à coups de talons aiguilles, hurlant douze fois : « *You're the Healer* (le sauveur). » Suit une intention particulière pour les plus pauvres parmi les pauvres, les plus *losers* parmi les *losers* dans la cosmogonie d'Osteen, à savoir : les célibataires ! Joel prend son air le plus attristé, regarde ses chaussures plutôt que le ciel, hoche la tête pour avouer une vraie souffrance, et proclame : « *Lord, I know there are many single people here... bring somebody in their life... we thank you for them, for this supernatural breakthrough.* »

Le final arrive. Joel nous salue « *We love you guys* » et se met à pleurer à chaudes larmes. Joel Osteen est un grand artiste. Il triomphe en Amérique, sur le marché pourtant très encombré de la religion : en 2008-2009, le chiffre d'affaires de son Eglise, la Lakewood Church, était estimé à 75 millions de dollars[1]. Les Osteen ne sont pas un accident, mais la pointe du marché de la religion aux Etats-Unis. Un marché très lucratif : selon différentes sources[2], la religion aux Etats-Unis générerait 60 à 95 milliards de dollars de revenus, grâce à 360 000 congrégations employant entre 1,5 et 2 millions de personnes.

On m'avait prévenu : aux Etats-Unis, la religion est au-dessus de tout. Ce soir-là, avec Joel Osteen, je découvre qu'elle est au service du dollar.

---

1. Source : magazine *Forbes*, avril 2009.
2. IBIS World et First Research Inc., notamment.

Midtown, New York :
de l'art de vivre pour travailler

« *If you are stagnant, you are dead.* »

Publicité pour la chaîne CNBC.

J'habite Manhattan. Pas la petite ville du Kansas, mais celle de New York.

Ce nom curieux signifie « l'île aux collines », dans la langue locale – l'indien algonquin. Une langue aussi morte que cette tribu, qui céda son droit de propriété sur Manhattan pour 60 florins il y a quatre siècles. Une vingtaine de dollars. Un bon placement pour l'acquéreur.

Le quartier que j'habite est justement une colline : Carnegie Hill, dans l'Upper East Side. 65, East 93rd Street. Un appartement dans une petite *townhouse*, logée entre Park Avenue et Madison Avenue.

En face de mes fenêtres, l'école Spence, pour jeunes filles. L'équivalent new-yorkais de l'Ecole alsacienne à Paris, à ceci près que les élèves y viennent en Bentley avec chauffeur. Et que leurs parents affichent un ou deux zéros de plus à leurs patrimoines.

Evidemment, tout cela a un prix. Notre appartement avait beau être deux fois plus petit que notre logement parisien, le coût de notre loyer avait doublé. Le prix de la tranquillité, pour jouir d'un voisinage agréable, d'une situation confortable, à toute épreuve ?

Ce fut largement le cas. Jusqu'à ce que, quinze jours après notre emménagement, le plafond de notre salle de bains s'effondre.

Le jour même, deux ouvriers vinrent réparer le plafond. « *We are going to fix it in 30 minutes.* » Montre en main. Deux plaques de contreplaqué. Trois coups de pinceau. C'était terminé.

Bienvenue aux Etats-Unis d'Amérique, le pays où tout est possible, l'effondrement comme la reconstruction à toute vitesse, et tant pis si les fondations sont en carton-pâte. Racontant cet épisode à des amis américains, ils m'expliquèrent que de tels événements étaient tout à fait normaux : « Ici, la maison remplit deux fonctions. Celle d'un bien de consommation, et celle d'un *status symbol*. En revanche, elle n'est pas faite pour durer. Le travail peut nous envoyer demain de l'autre côté des Etats-Unis. *Pack and go.* L'idée de transmettre la maison à nos enfants ? *Nonsense.* Trop compliqué, trop de taxes. On préfère construire nos maisons en bois, plutôt qu'en pierre : d'abord parce qu'il y a très peu de carrières de pierre en Amérique ; ensuite, c'est plus facile de transporter ta maison en bois sur la route[1]. »

---

1. Pour les sceptiques, qui n'ont jamais doublé de maisons sur autoroute, rendez-vous sur le site www.newhousingcollection.com

Carnegie Hill est un quartier magique. Il ruisselle d'argent, mais d'argent établi. Le *old money* ne s'affiche pas ostensiblement, mais discrètement. Cependant, de l'argent, il en faut pour y vivre, à l'instar de tous les quartiers résidentiels new-yorkais.

Considérez les chiffres suivants, pour une famille avec deux enfants vivant à New York. Les écoles publiques sont prises d'assaut pour les meilleures, et à éviter à tout prix pour les plus mauvaises. La demande dépassant largement l'offre, notamment dans les petites classes, certaines écoles ont même organisé un système de loterie. L'autre option, celle qui est censée garantir le meilleur avenir pour votre enfant, ce sont les crèches et écoles privées. Tarif moyen : 25 à 35 000 dollars par an, par élève [1]. Budget éducatif pour deux enfants : 50 à 75 000 dollars par an. Hors fournitures scolaires. Le redoublement n'est pas une option raisonnable. Pour éviter que les enfants redoublent, ou soient mal vus dans leur école, les parents sont vivement encouragés à faire des chèques lors des dîners de *fund-raising* de ces écoles.

Le logement ? Difficile de trouver dans l'Upper East Side un *3-bedroom* convenable à moins de 50 000 dollars par an.

Avant de se nourrir, de se vêtir, de contracter des assurances santé pouvant facilement atteindre 2, 3 000 dollars par mois, une famille de deux enfants doit donc gagner

---

1. Dès le plus jeune âge : la *pre-school of America* (Park Avenue, 93e Rue) prendra votre enfant de 8 heures à 14 heures en semaine pour la modique somme de 2 000 dollars par mois.

au moins 100 000 dollars nets d'impôts, soit au moins 10 000 euros par mois[1]. Sans compter le remboursement des divers emprunts que vous avez cumulés pour financer vos études (autour de 40 000 dollars l'année dans une bonne université).

Cette réalité d'une pression financière dès le plus jeune âge, et hors de toute proportion, n'est pas l'apanage de l'aristocratie new-yorkaise : fin 2009, pas moins de 69 millions d'étudiants américains avaient contracté un emprunt pour leurs études.

Où trouve-t-on de telles sommes d'argent, pour vivre – et rembourser ses dettes – à New York ? Essentiellement à Wall Street, à la pointe sud de l'île de Manhattan et à Midtown. Le cœur de la ville, là où travaillent avocats, banquiers, gens de médias essentiellement.

Ce matin d'octobre 2007, je m'y rends par le M2 Limited, un bus rapide qui descend la 5ᵉ Avenue, Je dois suivre ce jour-là une formation très particulière : comment travailler avec les Américains. Durée de la formation : 2 × 4 heures. Nous irons donc à l'essentiel.

En attendant, plongé dans le *New York Times*, je fais le plein de mauvaises nouvelles au fur et a mesure que le bus s'approche de la 59ᵉ Rue.

---

1. Ce calcul prend des hypothèses de dépenses sans doute trop basses. D'après un article du *New York Times* publié le 6 février 2009, le budget minimal annuel pour une famille de deux enfants vivant dans l'Upper East Side serait bien supérieur : 45 000 $ pour la nounou, 64 000 $ pour les écoles, 96 000 $ de remboursement de prêt immobilier, 96 000 $ pour les charges de copropriété (très élevées à New York, malgré la qualité des plafonds...), 16 000 $ pour les vacances, etc.

Crise des *subprimes*. Effondrement du marché immobilier. La municipalité qui s'inquiète de l'état d'avance-
ment du chantier de reconstruction du World Trade
Center : six ans après les attentats, rien ne repousse à
Ground Zero. La lecture des journaux, en cet automne
2007, n'incite pas à la joie.

Une publicité pour CNBC décide d'achever ce
qui me restait de bonne humeur matinale. Photo de
Jim Cramer, présentateur vedette du magazine *Mad
Money* sur CNBC, affichant tous les stigmates de
l'hyperactif hyper-agressif. Message de la publicité, et
avis aux lecteurs du *New York Times* : *if you are stagnant,
you are dead.*

Welcome to New York, la ville où celui qui stagne est
déjà mort.

C'est donc d'un pas pressé que je descends du bus,
pour rejoindre mon bureau, à l'angle de la 6ᵉ Avenue
et de la 56ᵉ Rue.

Tiffany's, à l'angle de la 57ᵉ Rue et de la 5ᵉ Avenue,
est encore fermé. Je cherche désespérément Audrey
Hepburn, mais je ne croise que des cadres dynamiques
au regard fixe, marchant ou plutôt courant à leur travail.
Costumes croisés pour les hommes, tailleurs stricts pour
les femmes. La panoplie est complète avec un gobelet
Starbucks dans la main droite, un Blackberry dans la
main gauche, et les baskets aux pieds pour marcher plus
vite. Toujours plus vite.

Je m'approche du Solo Building, au 9 West 57 Street,
l'un des plus beaux immeubles du quartier, et jette un

œil sur un immeuble à proximité. Un peu plus loin, au numéro 45-47, une douzaine d'êtres humains encagés, en shorts, courent à toute allure, le nez contre la vitre, suant à très grosses gouttes. Sur des tapis roulants. Il est 8 heures du matin. Bienvenue à Exercise Zone, l'un des innombrables clubs de gym à Manhattan, se vantant d'avoir eu Brooke Shields et Cindy Crawford entre autres anciens « élèves ».

Mais comment font-ils pour être toujours en forme, 24 heures sur 24, 365 jours par an, ces New-Yorkais que rien n'arrête ? Un premier élément de réponse est fourni sur le trottoir d'en face : au numéro 28 de la 57e Rue (West), le magasin GNC fournit tout ce dont vous avez besoin pour pédaler comme un dératé sur un vélo d'appartement à 8 heures du matin, avant d'enchaîner une triomphale journée de travail. GNC n'est pas un dealer de drogue ni une pharmacie, mais quelque chose entre les deux. GNC vend des cocktails de vitamines, des produits pour vous muscler ou faire fondre vos graisses, en abondance. J'entre, désireux de débusquer le secret des athlètes de Midtown. Dans les premiers rayons, en tête de gondole, je peux rejoindre la tribu des *Mega-Men* pour la modique somme de 49,99 dollars. La promesse de cette marque de supervitamines est claire : en consommant abondamment ces petites gélules, vous vous transformerez en *Mega-Man*, et bénéficierez d'un style de vie sain (*healthy lifestyle*), alliant « Performance & Vitalité » dans votre quotidien. Ces gentils produits vont même soutenir (*support*) toutes les ramifications de mon être : mon cholestérol, ma prostate, et ma santé sexuelle[1]. Pas sexiste ni jeuniste pour deux *cents*, le magasin GNC propose des produits similaires pour les femmes, et notamment les femmes de plus de 50 ans : le «50 + Vita Pack», ou le «Women's Ultra Mega Pack» promettent à la tribu des *Mega-Men* des compagnes de choix. Quelques rayons plus loin, je découvre de nouvelles munitions pour ma journée de travail : des barils de poudre blanche bizarre. Pour une cinquantaine de dollars, je peux acheter 3 kilos de «Monster Mass», ou encore 5 kilos de «Extreme Iso Mass Gainer» : renseignements pris, ces produits me permettraient de gonfler ma masse musculaire de façon décisive. Juste à côté des bidons de Monster Mass, les barquettes de Slim Fast offrent une alternative intéressante. Dans les magasins GNC[2], leurs concurrents VitamineShoppe ou les pharmacies Duane Reade et CVS, il y en a pour tous les goûts et les profils. Tant pis pour les dommages collatéraux[3].

Pas totalement convaincu de l'impact de ces substances sur mon développement personnel et professionnel, j'arrive sans produits dopants à mon bureau, en étage élevé à l'angle de la 56e Rue et de la 6e Avenue. Vue imprenable sur Central Park au nord, et sur la 6e Avenue au sud.

Notre formatrice professionnelle, venue nous expliquer les erreurs à éviter, les habitudes à proscrire, les

---

1. A l'aide de substances diverses et variées : *horny goat weed, maca, damiana, zinc, avena sativa*, etc.
2. GNC : 1,7 milliard de dollars de chiffre d'affaires en 2009, 6 900 points de vente aux Etats-Unis, près de 15 % de marge d'exploitation.
3. Etude de la Cochrane Collaboration, publiée en avril 2008.

comportements à adopter lorsque l'on travaille avec les Américains, arrive avec une demi-heure de retard. Cette entrée en matière est très rassurante. Le contenu de la formation, pas du tout.

Carmen, c'est son prénom, est accompagnée d'un outil éminemment américain pour nous délivrer ses messages : une présentation Power Point de 73 pages, toutes en couleurs.

Nous en aurons certainement pour notre argent. Je n'ai jamais su comment traduire le Power Point en français : le « point puissant », la « puissance du point » ? Le point qui tue ? L'idée du Power Point est simple, et très adaptée aux fabricants d'encre, d'imprimantes et de papier. Finies, les notes compliquées avec des phrases longues et complètes. Terminées, les nuances subtiles et discursives apportées à un raisonnement ou une démonstration. Power Point, c'est : une idée et une illustration par page. Eventuellement, compléter par des sous-arguments, mais qui vont toujours dans le même sens. Celui du « point » que l'on veut mettre en avant.

Avec Power Point, interdiction absolue de formuler des doutes, d'émettre des hypothèses contraires, d'interroger à charge et à décharge. Le Power Point ne fait pas bon ménage avec les sceptiques. Il est là pour servir la démonstration et l'action. Il ne saurait s'encombrer de détails superflus : ils n'ont pas de places dans ces belles diapositives projetées à l'écran, comme un film d'*entertainment*.

Ce que fit avec un succès incontestable monsieur Colin Powell, le 5 février 2003, avec un très efficace

Power Point de 45 *slides*[1], pour vendre au Conseil de Sécurité de l'ONU l'idée d'une invasion préventive de l'Irak.

Carmen, notre formatrice cubaine-américaine à la cinquantaine gironde, débite donc ses 73 *slides*. Au bout de la huitième, je regarde par la fenêtre, assommé d'expressions clés répétées à satiété, comme un bourrage de crane : *cross-culture, key success factors, key challenges*, etc. Les poncifs usuels étaient déclinés un à un : « comprendre l'autre », « attention aux stéréotypes », etc.

Puis Carmen entreprend de nous parler culture. Ah, la culture américaine ! J'ouvris grand mes oreilles. Par qui allait-elle commencer ? Faulkner ? Warhol ? Steinbeck ? Hemingway ? Hemingway, ce ne serait pas mal, pour une Cubaine américaine.

« *In the United States of America* (Carmen détache bien les syllabes : nous comprenons que ce qui suit va être important), *you live to work. You don't work to live.* » Ici, il faut vivre pour travailler, et non travailler pour vivre. Molière n'aurait pas dit mieux.

L'affaire est sérieuse.

Oublions la culture, il fallait comprendre *working culture*. Ou plutôt *living culture*. Culture du travail, culture de vie, peu importe : aux Etats-Unis d'Amérique, c'est la même chose.

---

1. Vous le retrouverez sur http://www.globalsecurity.org/wmd/library/news/iraq/2003/iraq-030205-powell-un-17300pf.htm. Un article du *New York Times* du 26 avril 2010 revient sur l'utilisation intensive du Power Point dans l'armée américaine, et notamment dans la conduite de la guerre d'Afghanistan : « *We Have Met the Enemy and He Is PowerPoint* ».

« Oui, en Amérique, on vit pour travailler. Tout tourne autour du travail. Regardez New York, la ville qui ne s'arrête jamais. Regardez notre temps de vacances. Nous avons deux à trois fois moins de vacances que vous, les Européens. Parce que nous préférons travailler. Vous connaissez le concept 24/7/365 ? Nous sommes ouverts 24 heures sur 24, 7 jours sur 7, 365 jours par an. C'est notre force. Nous ne nous arrêtons jamais. (*We never stop.*) »

Certes. Mais, travailler pour quoi faire ? demandai-je. « Mais pour travailler, justement. Pour faire. D'ailleurs, aux Etats-Unis, nous avons une expression pour cela. "*What matters is not who you are, but what you do.*" Nous ne sommes pas intéressés par votre identité, vos origines − c'est d'ailleurs pour cela que vous ne devez surtout pas mettre votre âge ou votre sexe dans votre CV, ou poser des questions à votre interlocuteur là-dessus. Ce qui vous définit, c'est ce que vous faites. Vos *achievements.* »

Vaincu par cette première salve, je n'interromps plus Carmen, qui reprend le déroulement de son Power Point.

Lorsque l'on a acquis un tel savoir-vivre-pour-travailler aux Etats-Unis, se développe naturellement un comportement, presque un syndrome, que Carmen appelle le *can-do*. Le *can-do*, la *can-do attitude*, signifie que tout est possible. Quel que soit le problème, il y aura toujours une solution. Tout est affaire de volonté.

Le *can-do* est très efficace. Il suffit de le répéter avec force et conviction, et les problèmes se résoudront d'eux-mêmes.

D'ailleurs, les Américains ont une astuce pour éviter les «problèmes» : ils ont proscrit le mot *problem* de leur vocabulaire, nous explique Carmen. Il suffisait d'y penser. Les gens n'aiment pas les problèmes, les Américains encore moins. Alors, nous explique Carmen, quand vous avez un problème, il faut parler de *situation*. C'est plus objectif. C'est plus neutre. C'est donc plus vrai. Exemple : il n'y a aucun *problem* en Irak, il y a juste une *situation*.

Quand vous voulez licencier un de vos employés, il faut lui dire que vous avez une *situation* avec lui. Le problème est déjà à moitié résolu. Le *can-do* fera le reste.

Carmen enfonce un nouveau coin dans notre approche européenne du monde des affaires : aux Etats-Unis, il faut être transparent, direct, ne jamais temporiser. Toujours répondre par oui ou par non. Répondre à une question par une formule interro-négative ? Très mauvais ! C'est bon pour les Anglais, dit Carmen, avec un petit sourire narquois.

D'après Carmen, une bonne façon d'éviter les malentendus avec les Américains est de se mettre d'accord, préalablement à toute discussion ou relation, sur un *process*.

Le mot *process* est très populaire dans le monde des affaires aux Etats-Unis. Il sonne bien. Il fait très professionnel. Derrière le *process*, on sent déjà l'action, le stress, les briques qui s'encastrent les unes après les autres, très logiquement. Les Français l'adoptent volontiers, délaissant sa traduction fidèle, mais aux relents administratifs et juridiques : la «procédure».

Carmen aime les *process*, les codes, les modèles. Ils permettent d'éviter l'inattendu comme les malentendus. Ainsi passe-t-on aux Etats-Unis la moitié de son temps de travail à réellement travailler, et l'autre moitié à s'occuper de son *process* : conférences téléphoniques interminables pour valider les étapes à suivre ; rédaction de listes d'actions sans fin (*to-do lists*) à la chronologie savamment étudiée ; rétro-plannings d'une précision militaire ; chaînes de courriels à répétition pour mettre les uns « dans la boucle », et subtilement en sortir les autres ; validations répétées par des avocats et divers conseils. Le *process* est une activité économique à part entière, générant travail, honoraires et commissions pour un nombre considérable de personnes. Il permet aussi d'éliminer finement, par strates successives, les positions minoritaires : « On avait déjà abordé ce point lors du dernier *conference call*, et tu n'as rien objecté ? On avance, on ne revient pas là-dessus » est un modèle du genre. Aux Etats-Unis aussi, la bureaucratie semble opérer un retour triomphal.

Carmen nous suggère aussi que les *process* sont très utiles pour initier et prolonger une relation sociale ou affective. Ainsi, pour entamer une discussion d'affaires, il conviendrait de toujours démarrer par 3 à 5 minutes de *small talk*, mais pas plus : idéalement parler de sa famille, de ses enfants, de son sport et de son *pet* préféré, avant de passer aux choses sérieuses : le business.

Idem pour les relations affectives : cela ne se fait pas de draguer ouvertement sa contrepartie, dans l'espoir d'en tirer un bénéfice immédiat. Il faut d'abord se mettre d'accord sur les termes du premier rendez-vous : la *date*. Le lieu, l'heure, le format de la rencontre. L'agenda des éléments méritant d'être discutés[1].

Carmen regarde sa montre et son auditoire abasourdi. Il est temps de conclure. Elle se veut rassurante pour ces pauvres *Frenchies* qui ont encore des progrès à faire en termes d'américanisation.

« Bon, tout cela, ce sont juste des idées, vous savez. Ce qui compte, c'est d'agir. Ne réfléchissez pas trop à ce que je viens de vous dire, car, comme on dit ici : *"Analysis is Paralysis !"* »

Allons bon. De qui se moquerait-elle donc ? Des analystes de profession ? Carmen poursuit :

« *Analysis is Paralysis !* Aux Etats-Unis, si vous analysez, vous vous paralysez. Il faut analyser moins, et agir plus. L'action vaut mieux que la réflexion. Elle s'y substitue, ou elle la précède. Vous n'êtes plus en Europe, vous êtes aux *United States of America* ! La réflexion, les idées sont un passage obligé et assez désagréable avant d'agir. Autant le réduire à la portion congrue grâce à des *process*, des procédures claires. »

Dans notre groupe de *Frenchies* médusés, un téméraire tente une dernière objection. La sanction tombe, immédiate : « Vous, les Français, vous aimez ergoter, pondérer,

---

1. L'auteur, marié, n'est pas le mieux placé pour vivre et rapporter une expérience directe de la chose. Il lui a cependant été confirmé que les *dates* à New York suivaient un rituel très strict : Première *date* : un verre ; deuxième *date* : un restaurant ou un cinéma ; la troisième *date* est obligatoirement horizontale sous peine d'arrêt prématuré du processus ; enfin, au bout d'un nombre variable de *dates* horizontales, les deux partenaires peuvent considérer de devenir *exclusive*, c'est-à-dire d'arrêter de multiplier les *dates* à droite et à gauche, pour devenir mono*date* et monogame.

soupeser. Vous prenez presque plaisir à réfléchir! Gardez-vous d'une telle perversité! *Just do it!* Faites comme Nike!»

Just do it! Formidable expression américaine. Trois mots, huit lettres : action! Les résultats du *Just do it* sont impressionnants. Je les ai vus à l'œuvre quotidiennement dans la vie professionnelle américaine. Une capacité d'engagement hors du commun. Des machines de guerre que rien n'arrête. Des *process* qui emportent tout.

Just do it! C'est ce moteur qui permet à Donald Trump, promoteur immobilier alternant succès et faillites à un rythme endiablé, de prodiguer ses conseils dans un livre-monument, que Carmen ne manqua pas de nous conseiller : *Think like a champion.* Donald Trump s'y compare à Picasso parce que Picasso s'était enrichi («Picasso n'était pas seulement un grand artiste, c'était aussi un excellent *businessman*»), affirme qu'il réfléchit comme un génie («*think like a genius*») parce qu'il lit les journaux le matin, mais aussi parce qu'il l'a décrété[1].

Comment lutter face à de tels rouleaux compresseurs? Comment introduire du doute et du recul dans des mécaniques aussi solidement constituées, et exclusivement tournées vers l'action – et non la réflexion?

Carmen nous accorde une pause pour le déjeuner. Vingt minutes : une activité strictement alimentaire,

---

1. «*Someone asked me if I thought I was a genius. I decided to say yes. Why not?*» (*Think like a champion*).

dont elle se passerait bien, nous dit-elle. Au même titre que l'analyse introspective.

Je file attraper un sandwich, et descends quelques blocs dans la 6ᵉ Avenue, pour m'aérer. Je m'arrête un peu plus bas, en face de la vitrine de la chaîne de sports SNY.tv. Carmen avait enfilé les métaphores sportives pendant la matinée, insistant sur l'importance du sport dans la société américaine, et dans les affaires. L'esprit d'équipe, l'engagement, le dépassement de soi. Dans les affaires, les choix étaient tous binaires, et inspirés du monde sportif : on pouvait jouer *hard ball* – être un dur – ou *soft ball* – être sympathique ; jouer en attaque ou en défense ; être un leader ou un équipier (*team player*) ; lancer les balles ou leur taper dessus. Le plus grand succès possible, pour le lancement d'un produit, ou un développement commercial, était un *home-run*. Les situations les plus inextricables étaient des *catch-22*. Bref, pour réussir dans les affaires aux Etats-Unis, je comprenais qu'il fallait être bon au base-ball et ne pas trop se poser de questions. Comme George W. Bush, dont l'unique expérience professionnelle réussie de manager-propriétaire d'une équipe de base-ball (les Texas Rangers) lui ouvrit les portes de la Maison-Blanche.

Dans l'après-midi, je retrouve Carmen, qui me donne les résultats de mon «Profil» psychologique, construit à partir d'une batterie de questions répétées plusieurs fois. Mon score est affligeant : dans de nombreux compartiments de ce *profiling* établi par le très sérieux FutureWork Institute, je suis aux antipodes du profil américain. D'après l'ordinateur, je serais implicite au lieu d'être explicite ; farouchement individualiste, et pas *team-spirit* pour un sou ; dans mes « interactions », je privilégierais la relation aux personnes plutôt que l'accomplissement d'une tâche (*task*) ; des raisonnements trop analytiques, pas assez linéaires, etc.

Carmen me dit que ce n'est pas grave : il me suffira de travailler ces erreurs de formatage. « *Work it through !* » Elle me fatigue, Carmen, avec son emploi du verbe *work* à toutes les sauces. Faire du sport ? *Work out.* Finir son assiette ? *Work on your plate.* Il faudrait maintenant que je travaille ma personnalité, pour répondre aux standards de l'Amérique ? Non, merci. Carmen me dit que je suis susceptible. Limite gaulois.

Pour me venger, je ne l'écoute plus, la laissant achever toute seule ses huit heures de cours d'américanités. Le *process* a gagné. Mais sans moi. Pour tuer le temps, je prépare une *slide* Power Point résumant tout ce que l'Amérique réussit à accomplir, avec son *Just do it* et son absence de recul. La voici (légèrement réactualisée) :

L'Amérique en 2010 : just do it ![1]

• Patrimoine des Américains au premier trimestre 2010 : 54 600 milliards de dollars – à peu près le PIB de la Terre.

★

• 30 millions d'Américains au chômage ou en situation de sous-emploi.

★

• 40 millions d'Américains en-dessous du seuil de pauvreté.

★

• 46 millions d'Américains sans couverture maladie (sans compter les immigrés clandestins, *circa* 13 millions).

★

• 100 millions d'Américains obèses (dont 1 enfant sur 6).

★

• Record mondial du nombre de filles mères rapporté à la population (plus de 40 naissances pour 1 000 filles de 15 à 19 ans, cinq fois plus qu'en France).

★

• 4 856 510 crimes violents en 2008.

★

• Plus de 300 000 incidents violents commis avec une arme à feu en 2008.

★

• Plus de 250 millions d'armes à feu « civiles » circulent aux Etats-Unis, détenues par environ 80 millions de propriétaires.

★

• 30 % des Américains croient, mot pour mot, à ce qui est écrit dans la Bible.

---

1. Sources utilisées, dans l'ordre : Federal Reserve, CIA World Factbook, Gallup, US Census Bureau, US Centers for Disease Control and Preventions, OMS, US Department of Justice, NRA, Gallup.

Upper West Side, New York :
le Bon Samaritain

> « Au bout du compte, ce sont les avocats qui
> sont derrière ça. Ce sont eux qui empochent
> l'argent. Et personne, absolument personne ne
> fait rien contre cela. »
>
> JOHN A. ULIZIO, PDG de US Silicia[1].

Par un soir d'automne, alors que l'été indien se pro-
longe à New York, je sors du Lincoln Center, et
remonte Columbus Avenue, traversant l'Upper West
Side. Un quartier très différent de l'Upper East Side : ses
habitants y sont tout aussi riches, mais bien plus jeunes et
branchés. L'Upper West Side est le quartier de prédilec-
tion des jeunes familles et des jeunes couples sans enfants,

---

1. « *At the end of the day, the lawyers are driving this. The lawyers are the ones who
make the money. And nobody, absolutely nobody does anything about it.* » Arrivé en
2003 à la tête de ce fabricant de silicium, il doit affronter 20 000 plaintes déposées
contre sa société par des avocats représentant de fausses victimes souffrant de
silicose. La plainte pouvait représenter plus de 1,5 milliard de dollars. Après des
années de batailles et d'intimidations des avocats, il réussit à démontrer que tous
les certificats médicaux étaient truqués – les fausses victimes, médecins et avocats
derrière ce chantage n'ont toujours pas été condamnés. (Source : *Wall Street
Journal*, 4 mai 2009, « He fought the Tort Bar – and won ».)

travaillant dans la mode, les médias, les cabinets d'avocats ou la banque.

Je rentre chez moi heureux, laissant mes soucis de *subprimes* et de crise financière loin derrière moi, à Midtown.

Ce soir-là, la vie est belle, New York aussi, particulièrement dans ce quartier, aux abords du musée d'Histoire naturelle, où les petites maisons victoriennes de briques rouges et huisseries vertes donnent une allure européenne à ce quartier de faux bohémiens et de vrais bourgeois.

Je suis si heureux que je ne prête aucune attention au passant que je viens de croiser. Il paraissait corpulent. Je le regarde à peine, suivant en cela les bons conseils de Carmen : très mauvais à New York, le *eye-contact* non sollicité. Cela peut être perçu comme une agression ou un défi.

Je fais cinq mètres, oubliant totalement l'existence dudit passant, lorsque j'entends un bruit sourd derrière moi. Pas une explosion, ni un claquement. Rien de spectaculaire : un affaissement. Comme un poids jeté à terre, mais amorti par des coussins.

Que faire ? Se retourner ? Continuer son chemin, comme si de rien n'était ? Par curiosité plus qu'autre chose, je m'arrête, et regarde derrière moi.

L'homme était noir, obèse. Il gisait à terre, la tête plaquée entre la chaussée et le trottoir. Il ne bougeait plus. Par réflexe, je me précipite. « *Sir, sir, are you OK ?* » L'absence de réponse me fit clairement comprendre qu'il n'était pas du tout *OK*. Je m'agenouille et m'approche de son visage.

L'homme a mon âge, plus ou moins la quarantaine. Sa peau est toute ridée, son cou boursouflé, il porte un jeans trop large pour des jambes déjà hypertrophiées. Pèse-t-il 150 ou 200 kilos ? Cette masse disproportionnée, monstrueuse, m'impressionne et m'inquiète. Respire-t-il encore ? « *Sir, sir, are you OK ?* » Toujours pas de réponse. Il est face contre le macadam. Tout à coup, un raclement de gorge, il cherche son souffle, semble ne pas le trouver. Il faut faire quelque chose. Dégager ses voies respiratoires. En tout cas, le déplacer pour qu'il arrive à respirer. Je commence à essayer de le bouger. Sa masse corporelle flasque refuse de coopérer. Je hurle à la cantonade « *somebody help me !* » comme dans les films, essayant de donner ma voix à cet homme qui ne pouvait plus appeler au secours. Une New-Yorkaise, quinquagénaire liftée et richement habillée, arrive, et me rassure tout de suite : « Ne vous inquiétez pas, nous avons appelé le 911, vous devriez le laisser tranquille, maintenant. »

Pardon ? « *Yes, you should leave him alone now.* Les secours vont s'en occuper. *It's not your job.* » Non mais ça ne va pas, la tête ? Si on ne fait rien, il étouffe. J'en suis persuadé. Mes souvenirs très lointains de secouriste, lorsque je faisais mon service militaire dans les unités d'intervention de la sécurité civile, me reviennent : surtout, dégager les voies respiratoires. Ni une, ni deux, je pousse une de ses épaules, dégage la tête, lui permettant de respirer par la bouche et le nez.

Il n'est pas beau à voir, le secouru. Il fait pitié. J'essaie d'imaginer son quotidien : comme 100 millions de ses

compatriotes obèses, soit un Américain sur trois[1], il est
la victime parfaite de la société de consommation américaine.

Commençons par le matraquage publicitaire dès son
plus jeune âge : en *prime time*, il n'est pas rare de voir les
grands *networks* américains diffuser des messages publicitaires de trois minutes toutes les dix minutes. Or, d'après
l'étude de référence (Nielsen) sur les temps de consommation de médias par les jeunes Américains, les enfants
américains de deux à cinq ans passent plus de trois heures
par jour à regarder la télévision[2], et à dévorer ces publicités agro-alimentaires aux slogans lourds mais efficaces :
super value meal, king size…, ou encore les *super size meals*.
Tant pis si le coût annuel de l'obésité était estimé à
147 milliards de dollars en 2008[3].

Cette éducation audiovisuelle une fois acquise, le
jeune Américain va être très vite confronté à un risque
majeur : la nourriture à l'école. Snack de rigueur en
milieu de matinée. Distributeurs de boissons sucrées et
de barres chocolatées à tous les étages. Pour le déjeuner :
chacun peut apporter sa *lunch box*, mais s'il y a une can-
tine, on n'hésitera pas sur les formats de nourriture les
plus pratiques : hamburgers, pizzas, frites. Ensuite,
devenu adulte et le permis en poche, le jeune Américain
pourra traverser les cinquante Etats de son pays, allant
d'un MacDrive à un Burger King Drive. Au cinéma, il

---

1. National Health and Nutrition Examination Survey, 2005-2006 : 34 %
des Américains sont obèses, 73 % sont en surcharge pondérale (*overweight*).
2. Pour les huit à dix-huit ans, le temps est de quatre heures vingt-neuf
minutes en moyenne (source : Kaiser Family Foundation).
3. Source : Centers for Disease Control and Prevention.

optera pour un *combo deal,* c'est-à-dire une combinaison de pop-corn, de cocas et parfois de glaces, à un prix avantageux. Comme en Europe ? Oui, à la différence près que le pop-corn n'est pas servi dans des petits sachets, mais dans des seaux pouvant en contenir jusqu'à 3 litres[1].

Je regarde cette victime des industries agro-alimentaires et publicitaires américaines, gisant sur le sol de Columbus Avenue. Tombé pour l'Amérique, ou PAR l'Amérique ? Lentement exécuté à coups de barres chocolatées, de boissons sucrées et de viandes trafiquées. Va-t-il vraiment payer de sa vie cette série de petites démissions, cette succession de petits plaisirs de court terme, précipitant une fin atroce ? Ce tas de graisse et de sucre affalé sur le macadam, dans la ville-phare du pays le plus riche au monde, est-il une allégorie de l'Amérique, incapable de discipliner ses appétits désordonnés, à commencer par la nourriture ? Une société de sur-consommation, où les parents des enfants américains obèses ne veulent pas savoir qu'en gavant leur progéniture de snacks, burgers et boissons sucrées, ils doublent le risque de mort prématurée pour leurs enfants[2].

Qui va sauver l'Amérique de ses excès ? Et, plus immédiatement, qui va sauver l'homme à côté de moi, et que j'essaie de mettre sur le dos pour qu'il respire mieux ?

Autour de moi se forme un petit attroupement. Une huitaine de personnes. N'arrivant pas à retourner la

---

1. Pour les sceptiques, rendez-vous dans le cinéma de mon quartier (AMC, 86ᵉ Rue).
2. Etude «Childhood Obesity, Other Cardiovascular Risk factors, and premature Death», publiée dans le *New England Journal of Medicine*, 11 février 2010.

victime, je demande de l'aide à un solide gaillard, *door-man* de son état, avec casquette et uniforme, qui a enfin daigné sortir de sa tour : « *Can you help me with this ?* »

Je m'attends à le voir se précipiter pour sauver son prochain, qui partageait avec lui la même couleur de peau. Sa réponse fut plutôt inattendue : « *No.* » Pour bien se faire comprendre, il accompagna son refus d'un grand et lent mouvement de tête.

Non ? Vous plaisantez ? *No.* Point final. Un homme est en train de mourir sous ses yeux, on lui demande de l'aide : « *No.* » Je réfrène une furieuse envie de le traiter de tous les noms. Que faire ? L'effondré respire, mais de plus en plus bizarrement.

Alors, je me mets à parler sans discontinuer à l'in-connu, qui commence à reprendre ses esprits. Les huit personnes autour de nous ne bougent toujours pas. Les secours finissent par arriver. L'homme se relève, et marmonne : « *Diabete.* » Il venait de faire une crise d'hypoglycémie !

Les ambulanciers sortent de leur voiture, et com-mencent à s'occuper de la victime, qui retrouve ses esprits. Il est désormais tiré d'affaire. Il va bien, il les remercie, il avait juste besoin de sucre et d'eau, et affirme qu'il peut rentrer seul chez lui. Tout est bien qui finit bien ?

Pas pour moi. La dame qui avait appelé le 911 se précipite vers les ambulanciers, et s'écrie en me désignant du doigt : «Je l'ai vu bouger le corps de la victime. Si vous voulez, je peux témoigner. » Et les autres d'acquies-cer (« *Yeah… unbelievable… crazy…* »). Les ambulanciers me regardent méchamment.

Wait a minute. Rembobinons le film, voulez-vous ? Je
ne demande pas de médailles, ni même de remerciements : « *I did my job.* » Alors que vous, hein, la petite
troupe des riches bourgeois de l'Upper West Side :
« Pourquoi n'avez-vous rien fait ? Pourquoi vous ne
m'avez pas aidé ? »

Je commence à m'énerver. La scène est stupéfiante :
j'ai peut-être sauvé un homme de la mort, en lui permettant de retrouver son souffle, et me voici sur la
défensive, obligé de me justifier face à cette troupe de
gens passifs, dont la seule action concrète a été de me
dénoncer aux forces de secours.

La femme qui avait appelé les secours ose une
réponse : « Monsieur, nous n'avons pas les qualifications
pour porter secours à cette personne. Nous ne sommes
pas médecins, ni secouristes. Si nous l'avions touché,
comme vous et qu'il lui était arrivé quelque chose – para-
lysie, mort – nous aurions été considérés comme responsables. »

Aïe. « *Ouch* », en américain. « *What do you mean ?* » Le
chef des secouristes me répond : « Ce que vous avez fait
est très grave. La victime pourrait vous faire un procès,
vous savez. » Et, pour bien achever mon instruction, il
me décoche le trait fatal : « Ici, dans l'Etat de New York,
nous faisons très attention à la protection des victimes.
Cela s'appelle la clause du Bon Samaritain. Si vous
n'avez pas les qualifications pour secourir une personne,
et que vous ne pouvez pas démontrer que vous êtes
en pleine possession de vos moyens, je vous conseille
vivement (*I strongly suggest*) d'appeler le 911 et de ne rien
faire d'autre, la prochaine fois. » Et de me tourner

ostensiblement les talons, pour remercier à haute voix la dame et son portable : « *Thank YOU, Madam, for what you have done here.* »

Je rentre chez moi assez perplexe sur les fondamentaux de la civilisation américaine. Je voulais avoir le cœur net sur cette clause du « Bon Samaritain », et entrepris quelques recherches, aidé par des amis avocats américains. Saviez-vous que, dans 46 des 50 Etats des Etats-Unis, la notion juridique de non-assistance à personne en danger est tout simplement inexistante. Cette notion simple, fondatrice de toute société humaine digne de ce nom, selon laquelle chacun doit prêter assistance et secours à une personne en danger, est étrangère aux Etats-Unis d'Amérique [1].

Je précise : au pays de Superman et de John Wayne, la non-assistance à personne en danger n'est pas une faute pénale. Au pays où l'engagement pour sa communauté – que ce soit son école, sa paroisse, sa ville, son pays – peut être total et littéralement sans limite, c'est au contraire l'assistance à personne en danger, en dehors de règles strictes, qui est pénalement répréhensible ! Singulier paradoxe : si quelqu'un est en danger, de mort, d'accident, de pauvreté, de solitude, d'overdose, de tout ce que vous voudrez, les lois américaines ne vous obligent pas à lui porter secours. Vous êtes tenu de ne rien faire, à moins de pouvoir prouver vos qualifications.

---

1. A l'exception des Etats du Minnesota, de Rhode Island, du Vermont et du Wisconsin, où l'on doit assistance à personne en danger dans certaines situations.

Cela ouvre de belles perspectives. Vous vous faites atta-quer dans la rue ? C'est votre problème, pas celui des autres passants. Vous n'auriez pas dû être là : vous étiez au mauvais endroit et au mauvais moment. *Too bad.* N'attendez aucune aide : elle ne viendra pas. Sauf si quelqu'un appelle le 911 et suit la procédure sans faute.

Un enfant se noie dans une piscine sous vos yeux ? Ne bougez pas, il est déjà trop tard. On ne vous reprochera jamais de n'avoir rien fait[1]. En revanche, s'il se noie malgré – ou à cause de – vos vaines tentatives de secours, malheur à vous, et à votre patrimoine.

« Ne pas juger », me disait cet ami avocat, français établi aux Etats-Unis depuis plusieurs décennies, et qui me soulignait, certes à juste titre, que dans de nombreux cas d'urgences médicales, les bonnes intentions de secouristes amateurs pouvaient sensiblement aggraver la situation des personnes à secourir. Mais enfin, tout ne se vaut pas. Accepter un tel droit, c'est peut-être une aubaine lorsque l'on est avocat : les nids à contentieux pullulent. Mais un droit qui plébiscite l'égoïsme, et compte pour rien la solidarité humaine la plus naturelle et la plus essentielle, est-il acceptable ?

Que peut bien signifier cette quête du bonheur indi-viduel, cette *pursuit of happiness* inscrite dans la Déclara-tion d'indépendance des Etats-Unis, si on a le droit de laisser l'autre mourir sur place, à côté de soi ? Quelle est la valeur de ce bonheur qui ne se partage pas ?

Est-ce suffisant de se dire : « A moi de tout faire pour

---

1. Sauf en cas d'« obligation antérieure » : s'il s'agit de votre enfant, parent ou patient, ou si vous êtes responsable de l'accident.

être toujours au bon endroit, en bonne santé, et suffisamment riche pour être couvert contre tous les hasards de l'existence ?»

Cet épisode, survenu quelques semaines à peine après mon arrivée aux Etats-Unis, a été comme une clé que l'Amérique me donnait pour comprendre l'un de ses ressorts les plus puissants : le chacun-pour-soi poussé à l'extrême, sanctuarisé dans le droit. Un droit qui semble légitimer l'égoïsme absolu, et où l'idée même de société solidaire n'a pas grande signification, passées les frontières de votre « communauté naturelle » : votre famille, votre quartier, votre paroisse. La personne que j'ai secourue n'était pas une personne identifiée du quartier, mais un passant. Un étranger. Comme moi.

Avec cette clé-là, j'ai pu mieux comprendre, mais pas accepter, le quotidien de l'Amérique. Le réflexe communautaire. La violence des rapports professionnels. L'absence de solide filet de sécurité si l'on perd son emploi. Le droit à posséder et même porter des armes : chacun pour soi, et le Droit reconnaîtra les siens.

Ainsi, le droit n'est plus un instrument de protection des personnes, mais une arme au service de ceux qui peuvent se payer les meilleurs avocats, ou qui ont les moyens psychologiques et financiers de suivre une procédure longue de contentieux. Je ne m'explique pas autrement l'omniprésence des publicités pour avocats, dans les rames de métro ou sur les panneaux d'affichage dans la rue. Le droit est une arme, l'avocat un soldat au service de votre cause. L'étonnement de notre propriétaire, qui ne comprenait pas pourquoi nous ne lui avions pas intenté de procès pour l'effondrement de notre plafond, provient de cette vérité : les litiges font non seulement partie de la société américaine mais, d'une certaine façon, ils la constituent.

Les exemples abondent, des plus triviaux – un couple d'amis en procès pour avoir invité des convives à dîner, ces derniers ayant glissé sur le pas verglacé de leur maison – aux plus spectaculaires. Dans l'actualité récente, les chantages judiciaires autour de l'amiante, le procès du Crédit lyonnais autour de l'«affaire» Executive Life, les *class actions* contre Vivendi, entre autres, ne sont pas des actions mues par le désir de réparer une injustice ou de protéger les plus faibles : elles sont justifiées par un droit aux antipodes de notre civilisation : le droit du plus riche, du plus fort, du plus rusé, du moins scrupuleux. Les sceptiques reprendront le déroulement du procès O. J. Simpson – cette star acquittée d'un meurtre qu'il avait à l'évidence commis, et dont il voulait se vanter au point d'en faire un livre[1].

Malheur aux faibles, donc, dans une société où le droit du plus fort répond au devoir de non-assistance à personne en danger. Le père Jacques, prêtre franciscain du Bronx, et animateur de nombreux relais humanitaires et soupes populaires à New York[2], m'expliquait ainsi l'une des raisons pour lesquelles les prisons américaines, par ailleurs détentrices devant la Chine et la Russie du record mondial de taux d'incarcération[3], accueillaient aussi

---

1. «If I Did it », livre qui n'a jamais été publié.
2. Association Carrefour.
3. Source : US Department of Justice. Avec plus d'une personne sur cent sous les écrous, les Etats-Unis battent ce record mondial, loin devant certains pays désignés favoris d'avance (Russie, 600 ; Chine : 218). Les prisons américaines sont particulièrement accueillantes pour les Afro-Américains : ces

largement les populations les plus défavorisées : « Dans le système judiciaire américain, c'est très simple. Si tu te défends tout seul ou avec un avocat commis d'office – toujours les plus mauvais, payés à la vacation et pas au résultat ; si tu montres que tu n'as pas les moyens de te payer un avocat, de présenter un témoin, ou que tu n'as pas de relations sociales importantes, tu es mort. Cela veut dire que tu n'es pas digne d'être défendu. Ou pas assez solvable pour être défendu, ce qui revient parfois au même, en Amérique. Si en revanche ton avocat est prestigieux, si tu as du monde autour de toi, sois sûr que tu ne seras jamais inquiété. Après tout, les juges aux Etats-Unis sont élus. Ils font campagne pour cela. Ils ont besoin d'argent pour faire campagne. Pourquoi seraient-ils indulgents avec des personnes qui leur sont inutiles ? »

Les exemples de cette société violente et injuste par définition sont trop abondants pour tenir dans un seul livre, encore moins un seul chapitre. Dans le quotidien des Américains, sans tenir compte des violences les plus spectaculaires pour lesquelles l'Amérique détient des statistiques peu enviables (nombre de filles mères, de viols, taux d'incarcération, nombre d'homicides par armes à feu, obèses, etc.), le domaine où le principe admis de la violence et de l'injustice sociales est le plus criant est celui de la santé.

En reprenant les factures d'hôpital, les consultations de médecins généralistes et spécialistes, sur les trois années que j'ai vécues en Amérique, j'arrive à une moyenne de 15 000 dollars par an, pour un couple avec

---

derniers ont statistiquement six fois plus de chance de passer une partie de leur vie en prison que leurs compatriotes blancs de peau.

trois enfants, n'ayant pas connu d'accident de santé majeur ou d'intervention importante. 15 000 dollars par an, pris en totalité par un système d'assurances totalement privées. C'est là qu'intervient le premier *bug* dans le système de soins américains : les médecins et hôpitaux partent du principe que, de toute façon, le client est solvable, car couvert par une bonne police d'assurances. On peut donc le facturer lourdement, et ne pas faire attention à la dépense.

L'autre *bug* prend directement ses racines dans la judiciarisation de la société américaine, et en particulier sa médecine. Face à la motivation essentiellement sinon exclusivement financière des avocats américains dans ce domaine, les médecins n'ont pas d'autre choix que de se couvrir dans tous les sens, prenant des assurances de plus en plus coûteuses, multipliant les actes de médecine inutiles pour la santé du patient, mais leur permettant de se couvrir juridiquement. Le coût total de cette médecine « défensive » est estimé à plus de 200 milliards de dollars par an[1]. Au plan macro-économique, la gabegie des dépenses de santé américaine est telle que pas moins d'un sixième de la richesse nationale (PIB) est consacré aux dépenses de santé[2]. Record mondial absolu. A titre de comparaison, par habitant, les Américains dépensent chaque année 7 290 dollars pour la santé, plus du double du budget français (3 601 dollars par personne).

---

1. D'après l'American Medical Association, ainsi qu'une étude du Price WaterHouse Health Research Institute, publiée en 2008.
2. Source : Office of the Actuary in the Centers for Medicare & Medicaid Services.

Les résultats de ce niveau de dépenses astronomiques, directement liées à une approche d'abord capitalistique de la médecine, sont-ils à la hauteur des espérances ? Indubitablement oui, pour certains acteurs, là encore privés. Ainsi des grands laboratoires pharmaceutiques, dont le chiffre d'affaires global sur le seul marché nord-américain représentait 85 milliards de dollars en 2007. Les entreprises américaines actives dans le domaine de la santé pèsent environ 2 000 milliards de dollars en Bourse[1].

Revenons au patient, ou plutôt au client type des hôpitaux américains. Statistiquement, le client hospitalier a une chance élevée de se retrouver dans l'un des hôpitaux du groupe HCA, leader incontesté du secteur avec 160 hôpitaux, plus de 40 000 lits, près de 200 000 employés, etc. Il gagne beaucoup d'argent : en moyenne, chaque admission à l'hôpital était facturée 12 000 dollars par patient, et rapportait plus de 2 000 dollars en résultat opérationnel en 2009. Il faut dire que HCA a besoin de couvrir chaque année environ 2 milliards de dollars de charges financières, provenant de son rachat par endettement, structuré par les meilleures firmes de LBO américaines. La pression est forte pour garder le client le plus longtemps possible, et lui facturer le plus de services, idéalement à forte marge[2].

---

1. Source : Bloomberg, « US healthcare related companies », juin 2010.
2. Source : rapport annuel HCA (30 milliards de dollars de chiffres d'affaires en 2009). A l'inverse, les hôpitaux publics, en situation de sous-financement chronique, sont obligés de garder les malades le moins longtemps possible, afin d'optimiser un nombre de lits d'hôpitaux se réduisant à toute vitesse. Ainsi à New York, la mairie a décidé de supprimer 2 600 emplois dans les hôpitaux de la ville, pour combler un déficit d'un milliard de dollars (source : *Wall Street Journal*, 26 mars 2010).

Les résultats économiques sont donc spectaculaires, et permettent aux «professionnels de la santé», ou plutôt à ce lobby financier médicalisé, de se faire entendre à Washington DC. On comprend que ces professionnels aient un peu tiqué face à l'ambition du président Obama de réformer le système de santé pour en faire un système plus juste, plus efficace, et donc économiquement moins rentable pour eux. Dans toute l'année 2009, cette industrie aura déployé un budget de lobbying de 545 millions de dollars, supérieur à celui des banques[1].

Voilà pour les résultats économiques. En termes de santé publique, les Américains en ont-ils pour leur argent ? Quelques indicateurs permettent de relativiser notre enthousiasme dans ce domaine :

— Les Etats-Unis sont classés 45e dans le monde en termes de taux de mortalité infantile, l'une des mesures les plus reconnues pour mesurer la qualité de santé publique d'un pays : ils sont juste devant la Biélorussie mais derrière Cuba, et loin derrière la France[2].

— Les statistiques varient selon les sources (et selon la prise en compte ou non des travailleurs immigrés clandestins), mais l'on estime qu'avant la mise en place de la réforme Obama, 47 à 60 millions d'Américains n'ont aucune couverture médicale : l'équivalent de la population française se lève chaque matin en espérant qu'il ne

---

1. 467 millions de dollars (source : Center for Responsive Politics).
2. Source : CIA World Fact Book. La France a un taux de mortalité infantile pratiquement deux fois plus bas que celui des Etats-Unis, et est classée 8e (5e si on exclut trois paradis fiscaux, Monaco, les Bermudes et Macao).

leur arrivera aucun souci de santé. L'Institute of Medicine of the National Academies estime d'ailleurs que cette absence de couverture génère environ 18 000 morts par an.

— D'après le US Census Bureau, 9 millions d'enfants américains n'ont pas de couverture médicale. Ils peuvent attendre longtemps avant de devenir clients des hôpitaux HCA.

Ces chiffres, et ce contraste entre la richesse de quelques-uns et le drame quotidien de dizaines de millions de personnes, ne sont pas ceux que l'on devrait attendre de la première puissance mondiale.

J'ai mis longtemps à comprendre que ce sous-développement sanitaire n'était pas le fruit d'un accident, mais quelque chose de bien plus profond, et qui a trait au caractère américain. J'en veux pour preuve l'immense difficulté de l'administration Obama à faire accepter, au forceps et après de longs mois de bataille, son plan de réforme du système de santé, par les parlementaires comme par l'opinion publique. Le soulèvement populaire qui a accompagné ce projet de réformes allait bien au-delà de l'instrumentalisation de quelques esprits simples, prompts à faire la claque dans des *town hall meetings* bien organisés. Dans ces manifestations, qui ont eu lieu essentiellement à l'automne 2009, quelque chose de fondamentalement américain s'exprimait : le rejet de toute forme de prise en charge collective. « Pas question de devenir comme la France ! », « Nous ne sommes pas un pays socialiste » comptaient parmi les slogans surréalistes de ce mouvement. Les Américains préfèrent donc dépenser plus pour être collectivement moins bien soignés, plutôt que de mutualiser leurs dépenses de santé, sous l'égide du gouvernement. C'est la responsabilité de chacun de subvenir à ses propres besoins.

En février 2010, en plein débat sur la réforme du système de santé américain, je me promène dans Harlem, et engage la discussion avec un vieux *doorman*, afro-américain, à qui je demande mon chemin. Il est sympathique, affable et plutôt drôle. Lorsque la conversation dévie sur le plan Obama, il devient comme un autre homme. Il est farouchement contre ! Je ne comprends pas très bien : « Mais vous devriez en bénéficier, non ? Vous me dites vous-même que vous n'avez pas de couverture médicale. » La réponse qu'il me donne est un concentré d'Amérique : « Ouais, peut-être que j'en bénéficierais, mais je n'en veux pas. Parce que si un jour, je deviens riche, je ne vois pas pourquoi je devrais payer pour que les pauvres aient une couverture médicale ! »

Je lui demande son âge : soixante-six ans. Le rêve américain a la vie dure, pour les enfants de 7 à 77 ans : il existe toujours en Amérique la possibilité de l'enrichissement individuel. Tant pis pour les pauvres qui n'ont pas su la saisir : tel était le message de mon *doorman*.

Downtown New York :
les trois petits cochons[1] de Wall Street

> « Nous sommes la seule banque à Wall Street
> en qui vous pouvez avoir confiance. »
>
> AINE DUGGAN,
> Banque alimentaire de New York[2].

Ma première rencontre avec Wall Street avait commencé sous les meilleurs auspices, et sous les très hauts plafonds du Cipriani 55. Cet établissement est un *must* des fêtes et soirées new-yorkaises. Ancien hall de banque, de la taille d'une gare, le Cipriani, au numéro 55 de Wall Street, accueille bals, fêtes et réceptions de prestige.

Le 10 octobre 2007, Petra Nemcova, célèbre mannequin tchèque, y parrainait une soirée. Le but était noble : lever de l'argent (*fund-raising*) pour une associa-

---

1. En hommage à l'acronyme et jeu de mots préféré des financiers anglo-saxons au moment où ce livre est publié, qui s'amusent à confondre les cochons (*pigs*) et les *PIIGS* (Portugal, Italie, Irlande, Grèce, Espagne).

2. Citée dans le *New York Times*. La Food Bank of New York est située au 39, Broadway. D'après cet organisme, 1 enfant sur 5 à New York (Queen's, Brooklyn, Manhattan, Bronx et Staten Island) se nourrit grâce aux soupes populaires.

tion caritative, la Happy Hearts Foundation, œuvrant alors pour les enfants victimes du tsunami.

Noble, mais pas totalement gratuit : le privilège de dîner avec Petra coûterait entre 1 500 et 100 000 dollars par personne. Un ami avocat eut la bonne idée de m'y inviter. En arrivant dans le hall de cette ancienne banque grande comme une cathédrale, je découvris une foule en smokings et robes longues de rigueur. Les convives exultaient de jeunesse, de bonheur et de prospérité, affichés à défaut d'être totalement partagés. C'était l'époque où, à New York, finance rimait avec opulence et bonne conscience. Personne ne trouvait rien à redire aux 40 milliards de dollars de bonus versés cette année-là aux cinq principales firmes de Wall Street : la finance était euphorique, les économies aussi.

« *Come on, Edouard, Enjoy !* On s'en fout des *subprimes*, regarde un peu qui voilà. »

Henry a raison : que peuvent bien peser des milliards de *subprimes,* le sujet de préoccupation de cet automne 2007, face aux mensurations[1] de Petra Nemcova, qui venait justement de passer sous nos yeux ? *Subprimes*, CDS, CDO, CDO au carré : j'ignorais jusqu'à 2006 l'existence même de ces produits financiers. En essayant de comprendre leur fonctionnement et leurs valorisations, je retrouvais ce sentiment que je connais bien, depuis mes années d'analyste financier, décortiquant bulles spéculatives et comptes vivendesques : quelque chose ne tournait pas rond. Il y avait un vice quelque

---

1. 84-61-87 (source : Fashion Model Directory et Mattel) ; à comparer aux 94-46-86 de Barbie (source : Mattel).

part. Et, facteur aggravant, des *traders* partout autour, qui s'enrichissaient à toute vitesse et sans raison.

« *Look !* Il y a même… » Oui, Henry avait raison, ce soir-là, il y avait même Uma Thurman, Eva Mendès, Beverly Johnson. Bruce Willis pour les dames. Des stars, et quelques rares fortunes industrielles. Mais la majorité des convives provenaient de cette communauté étrange que l'on appelle « Wall Street » – banquiers, *traders*, avocats d'affaires, gérants de *hedge funds*, spéculant sur tout et son contraire (qui est le principe même d'un *hedge fund*) : devises, actions, obligations, matières premières. Entreprises. Etats.

Les maîtres du temps s'étaient donc donné rendez-vous au Cipriani 55. Ils étaient en pleine forme. Le champagne et le Bellini – le cocktail maison – coulaient à flots. Henry et moi discutions de tout sauf de *subprimes*, lorsqu'un trio de créatures nous approcha, toutes dents dehors. « *Hi, so, let me guess*, vous êtes *traders* ou *bankers* ? » Je réponds, très soucieux de mettre en application les leçons de Carmen. Surtout, être direct, factuel, et plein de pensées positives. « *Hi*, en fait, pas exactement. Comment vous dire ? Voilà, Henry est un avocat hors pair, on se connait depuis toujours, pas vrai Henry, et moi je travaille pour la filiale d'une société d'… »

C'est donc avec beaucoup d'assurance que le trio s'éloigna de nous, très déçu de notre médiocre condition. Je crus même entendre un « *Oh my God…* », prononcé avec un accent de dépit profond plutôt que de satisfaction émerveillée.

Ce qui n'a pas contribué à améliorer ma perception des « banquiers » de marché, et des *traders*. Les lecteurs d'*Analyste* : *au cœur de la folie financière* vont croire qu'il s'agit d'une obsession. Ils n'auraient pas tout à fait tort : j'y écrivais, dans le chapitre « Sous-jacents et gros bêtas », que ces « as de la finance optionnelle, non seulement ne servent pas à grand-chose dans l'économie d'aujourd'hui, mais en plus peuvent devenir particulièrement nuisibles » (p. 79).

Je ne pensais pas encore à leur nuisance sur le *dance floor* du Cipriani 55, mais à quelque chose de plus sérieux. Connaissant bien certains de leurs outils de travail et d'enrichissement personnel, et mesurant assez précisément leur souci de l'intérêt général, j'étais certain, dès 2005, que grâce à ces financiers du court terme « nous aurons d'autres Nick Leeson (le *trader* fou de la Barings, à Singapour) qui feront sauter la banque. Quant à savoir laquelle et quand ? ». Aujourd'hui, nous avons la réponse.

Henry se moqua de moi : « *Good job*, Edouard. La prochaine fois, essaie de leur parler de tes CDS[1]... ah ah ah ! » *Touché*, comme on dit en anglais. Pour regagner notre table, nous descendons l'escalier. « Tiens, je vais te présenter à Sam. Il devrait t'intéresser. Il travaille pour un des *hedge funds* chez Golden Bear. Très sympa », me dit Henry. Puis, plus bas : « Il vient de s'acheter un

---

1. CDS – *Credit Default Swap* : ce produit financier est, au départ, un contrat d'assurances pour se protéger du risque de non-remboursement de vos créanciers ; il concerne des obligations d'entreprises ou d'Etats. Utile à l'économie dans sa vocation initiale, il s'est transformé en outil de pure spéculation, trafiqué par des banques américaines comme européennes, pour faire de l'argent rapide sur le dos des entreprises et des Etats, devenus de vulgaires sous-jacents – et qui, aux dernières nouvelles, continuent de se laisser faire.

appartement sur Central Park West : 8 millions de dollars. Pas mal, pour un gamin de 29 ans. »

Sam est effectivement sympathique. Il fait des blagues, regarde les filles, leur donne des notes, et va jusqu'à leur appliquer une stratégie imaginaire d'investissements alternatifs : « Attends, la rousse, là ? Je suis long, très long sur elle… ouh là, là, trop de blondes platine, ici ! Faut shorter, *buddy*… et elle ? Elle, je fais un aller-retour rapide, et je garde sa sœur en collatéral ! » (*sic*).

Le sentant d'humeur bavarde, j'essaie d'entretenir Sam sur le sujet des *subprimes*. Pas trop dur, en ce moment, la crise des *subprimes* ? La Golden Bear est-elle bien protégée ?

Sam me regarde de travers, se demandant s'il s'agissait d'une touche inconnue dans le registre du *French humor*, ou si je voulais VRAIMENT lui gâcher sa soirée. Puis, presque comme un lapin mécanique dont on aurait enclenché le bouton *on*, Sam se mit en mode *business*, et commença à me débiter une présentation : « C'est vrai qu'il y a plus de volatilité sur les marchés (traduction en français courant : les gens de marchés ont peur)… et les valeurs actuelles peuvent paraître élevées… mais dans quelques semaines elles paraîtront outrageusement basses… nous, à la Golden Bear, on pense qu'il faut revenir sur le marché, maintenant, *NOW.* »

D'accord, Sam, mais les *subprimes*, la Golden Bear ?

« *Yeah, you're right… it's tough out there.* C'est dur, au dehors. Mais, *thank God*, nous ne sommes pas touchés. Nous n'avons aucun *subprime* dans nos portefeuilles.

Vous comprenez, nous avons une politique très conser-
vatrice depuis de longues années. C'est comme cela que
ça se passe à la Golden Bear, depuis des décennies. »

Puis Sam se mit à débiner ses concurrents avec un
enthousiasme et une application qui faisaient plaisir à
entendre. Eux avaient vraiment pris des risques inconsi-
dérés, et l'on pouvait craindre le pire pour leur santé
financière.

Ils sont vraiment forts, chez Golden Bear. C'est
d'ailleurs leur réputation : ils ne font jamais d'erreur, et
sont toujours, par un mystérieux hasard, en avance sur
le marché. Comme s'ils *étaient* le marché.

Je retrouve Henry, à notre table. Il m'a placé à côté
d'un autre banquier, plus *senior* encore que Sam : il a bien
36 ans, et codirigeait le département *leverage finance* de
Silver & Stone, une banque d'affaires presque aussi répu-
tée que Golden Bear. Son activité consistait essentiellement à vendre du « levier », c'est-à-dire de la dette, à
toutes sortes d'institutions financières spéculant à plus ou
moins long terme sur la valeur des entreprises, des matières
premières, des obligations – de tout ce qui peut être
échangé sur les marchés financiers. Ces dernières années,
l'argent était tellement abondant qu'il ne coûtait pas
grand-chose – les taux d'intérêt étaient très bas. Ce banquier, appelons-le John, avait donc des montagnes de produits de dette, pas chers, à écouler auprès de ses clients.
C'est ainsi qu'il permit à des fonds spéculatifs de racheter
des entreprises, des actions, avec des montagnes de dettes
bon marché. Seule contrainte : tel un ferrailleur, John
devait constamment se fournir en produits de dettes provenant d'un peu partout. La demande de dettes étant de

plus en plus soutenue, il fallait faire avec ce qui se présentait. Je soupçonnais donc John d'avoir des vilains *subprimes* dans ses caisses et ses comptes : des produits de dettes reconstitués avec des morceaux de dettes avariées (c'est-à-dire avec des emprunteurs incapables de rembourser), mélangés avec de bons produits de dettes (bons du Trésor, par exemple). Ces mille-feuilles s'appelaient des CDO.

Je m'apprêtais à entreprendre John sur le sujet, lorsque Petra Nemcova demanda le silence. « Merci, *my friends*, merci d'être là. » Petra passe à l'attaque. Elle nous explique que le tsunami ce n'était vraiment pas drôle. Elle s'en souvient, elle était là. Le tsunami a non seulement frappé la conscience de Petra, il a aussi englouti son *boyfriend*, mort noyé.

Petra baisse les yeux. La salle se fige dans un silence. Trois secondes de recueillement, c'est long, au Cipriani 55.

Maintenant, nous dit en substance Petra, il faut faire quelque chose pour les enfants du tsunami. C'est l'objectif de la soirée. Nous allons faire une vente aux enchères, vous allez donner un maximum d'argent aux Happy Hearts. Regardez nos *achievements* grâce à votre argent. Petra lance un diaporama.

La première photo représente le méchant tsunami. La seconde, les côtes thaïlandaises ravagées. La troisième, une splendide bâtisse blanche au milieu d'une forêt luxuriante. Un palais, à mi-chemin entre le Raffles de Singapour et le petit Trianon de Versailles.

C'était l'école du village qui avait eu la chance d'être sélectionné par Petra et sa fondation pour recevoir les dons.

Quatrième photo : les enfants de l'école. « Regardez comme ils ont l'air heureux », nous dit Petra. Ah ça, pour sûr, ils ont l'air heureux. Uniforme impeccable, sourires rayonnants, en pleine santé… Cinquième photo : la salle de classe des enfants thaïs qui devaient être en CE2 ou CM1. La petite touche de Petra ? Sur chaque table, les enfants avaient… un ordinateur individuel. Ecran plat dernier cri ! Pincez-moi, je rêve ! Les sixièmes avaient-ils des Blackberry, ou des iPod ? Et le ramassage scolaire, se faisait-il en limousine ou en hélicoptère privé ?

Je tente de partager mon étonnement avec le reste de ma table, et laisse tomber un « *unbelievable…* » plein de sous-entendus et de reproches sur cet argent gâché, placé au mauvais endroit. Pourquoi donner des millions de dollars en gadgets à une poignée d'enfants thaïlandais, quand près d'un million d'enfants vivaient cette année-là en-dessous du seuil de pauvreté, à New York[1] ?

« *Yeah, unbelievable, this is great, I love it !* » me répond immédiatement un des convives. La table de s'extasier des prouesses de Petra, financées par nous-mêmes. Un moment d'autocongratulation tel que nous entraînons toute la salle dans une salve d'applaudissements.

Petra est heureuse, ses meilleurs amis aussi. Bruce Willis vient lire avec application et détachement un texte plein de bons sentiments, de mots gentils, d'appels à la responsabilité, assez éloigné de la philosophie de *Die Hard* I, II et III.

Je n'ose plus un commentaire. Nous sommes tous là

---

1. 879 000 enfants à New York en 2008 (source : National Center For Children and Poverty).

pour faire pleuvoir des dollars sur quelques élèves thaïlandais en classe primaire. Tant pis pour les esprits cha-
grins.

Avant le début des enchères, je demande à mon voisin
John ce qu'il pense de ce début de crise des *subprimes*.
Comment font-ils, chez Silver & Stone, pour faire face ?
Le point de vue de John est revigorant. Il n'est pas
homme à se laisser abattre, et à subir les événements : « Le
subprime, c'est un fléau fabriqué par les politiciens à
Washington, pas par nous. » « Tout le monde a prêté de
l'argent à ces p… de NINJAS (*"f… NINJAS !"*). Les *No
Income, No Jobs, No Assets*. Ceux qui n'ont ni revenus, ni
travail, ni capital, et à qui on prête 100 % du prix d'acquisition d'une maison. C'est n'importe quoi. Pas étonnant
que ça se casse la figure (*"no wonder this is all falling apart
now"*). »

John est énervé. Il est en colère. Son «*fucking
NINJAS*» a suscité l'approbation silencieuse de la tablée,
malgré l'outrance du vocabulaire employé. «Salauds de
pauvres», tout le monde semble d'accord autour de moi,
mais «*fucking* salauds de pauvres» est tout de même un
peu grossier.

John se reprend. «Mais, *thank God*, nous sommes
épargnés. Nous n'avons pas un centime d'exposition à
cette saloperie. Ce n'est pas le hasard, vous savez : chez
Silver & Stone, on prend la gestion des risques très au
sérieux (*"you don't mess up with our risk management
policy here"*). »

Décidément, ils sont aussi forts que chez Golden
Bear, me dis-je. Il n'y a pas de hasard. Les meilleurs vont

dans les meilleures institutions, et touchent les meilleurs salaires. Tout est bien dans le meilleur des mondes.

Rassuré sur la santé de la finance américaine, je me concentre désormais sur le spectacle de la vente aux enchères du Happy Hearts.

Petra fait venir le maître de cérémonies, un Pierre Bellemare américain sans moustaches, ayant la charge d'animer la vente aux enchères, et donc d'inciter le public à payer le prix le plus élevé pour gagner quelques lots, l'argent ainsi récolté partant directement dans les caisses de la fondation de Petra.

Objectivement, il fallait être un vrai triste sire pour ne pas passer un bon moment. Tout le monde joua le jeu, dans une ambiance bon enfant de compétition sportive, avec pour épreuve unique le lancer de dollars. A part le voisin New York Stock Exchange, je n'avais jamais vu autant d'argent se déverser aussi vite à un même endroit. 180 000 dollars pour une voiture cabriolet Tesla, des centaines de milliers de dollars pour un rôle de figurant dans le prochain film de Bruce Willis, ou pour un aller-retour en jet au Grand Prix de Monaco, ou encore, un voyage romantique à Los Angeles, pour assister, aux premières loges s'il vous plaît, au prochain défilé de lingerie de Victoria's Secret. Le résultat dépassa toutes les espérances : 800 000 dollars de dons, en sus des 2 millions de dollars précédemment levés par les 700 amis de Petra présents ce soir-là.

Le clou du spectacle arriva lorsque Petra fut un peu déçue de voir une demi-douzaine de places pour des matches de base-ball et football américain, partir pour à peine 30 000 dollars. « *To top it all off* », pour vaincre cette panne passagère et réveiller les enchères, Petra fit venir sur scène « *my best friend* », Daniela ou Anastasia. Une créature de films de Tex Avery. Promesse de Petra : l'heureux gagnant irait voir TOUS les matches avec, assis à côté de lui, ladite créature.

Ce fut l'émeute. Des dizaines de milliers de dollars plus tard, l'heureux vainqueur, un banquier dont les bretelles retenaient davantage le ventre que le pantalon, put éructer un « *Yeah* » de contentement, et claquer un *high-five* à ses voisins de table. L'affaire était dans le sac : la *top model* le suivrait partout, pour voir des matches équivalents à OM-Valenciennes, PSG-Rennes, Bayonne-Stade français et autres moments propices pour conter fleurette aux dames.

Certes, le fait que tous ces dons soient 100 % déductibles des impôts ne fit que contribuer à l'enthousiasme général : chaque dollar donné à la jolie Petra et ses gentils Thaïs n'est-il pas un dollar soustrait au méchant fisc ? Ainsi va le système fiscal américain : chacun est libre de donner ses impôts à n'importe quelle fondation ou Eglise, plutôt qu'au Trésor américain. Tant pis pour les dizaines de milliers de milliards de dollars de déficits accumulés. C'est l'affaire des autres : les gens du gouvernement fédéral, à Washington DC.

La vente aux enchères terminée, la fête pouvait commencer. Musique, danses. *Open bar* pour tout le monde.

Nous retrouvons, non pas un client, mais une connaissance d'Henry. Appelons-le Brad, pour sa ressemblance avec l'acteur. Brad, évidemment, travaille lui aussi pour une banque. Une banque d'affaires. Mais il n'a pas grand-chose à voir avec l'idée que l'on peut se faire d'un banquier d'affaires, par exemple en fusions-acquisitions, ou tout autre métier réclamant un minimum de vocabulaire, de tenue et d'entregent. Non, Brad, la chemise sortant du pantalon, le verbe haut mais pas très clair, protégeant sa peau d'un mince liquide à mi-chemin entre l'eau de transpiration et l'huile végétale, boxe dans une autre catégorie : il est *trader*. Un vrai *trader*, spécialisé dans les matières premières, qu'il achète et vend chaque jour. Minerais, sucre, thé, café, orange, riz, blé, soja : Brad, grâce aux capitaux que lui confie sa firme Platinum Winch, fait et défait ces différents marchés au gré de ses humeurs, qu'il appelle *market intelligence*, et de ses informations privilégiées, qu'il ne saurait appeler « délit d'initié ». Le mérite et la chance n'entrent pas dans l'équation de ses performances quotidiennes : le poids de sa firme sur les marchés est tel que c'est elle, avec deux ou trois autres, qui détermine *de facto* le prix de ce qu'elle décide d'acheter, ou de vendre. Ce *market-maker*, ce faiseur de marchés, est dûment licencié et autorisé par la loi des hommes.

Un exemple de *market-making* ? Avant le choc pétrolier des années 2007-2008, Platinum Winch s'amusa à acheter pour son compte propre (*proprietary trading*) une demi-douzaine de supertankers pleins de pétrole, et les fit sillonner en mer. Jusqu'à ce que le cours du pétrole dépasse les 100 dollars. Alors, Platinum Winch décida qu'il était grand temps d'écouler son pétrole, et redirigea ses bateaux vers les ports, vendant son pétrole avec une marge record. Des hommes comme Brad, travaillant selon les heures de la journée pour le compte de la banque, ou pour le compte de ses clients (*hedge funds*, essentiellement), surent tirer tout le profit nécessaire de ces informations très privilégiées.

Brad, donc, est *trader*. Son équipe est un des très gros contributeurs aux profits de Platinum & Winch, et à ce titre, il a droit à un strapontin dans l'un des comités de direction de la firme.

Entre deux gorgées de Bellini, il nous explique tout cela, non sans fierté. Et les *subprimes*, qu'en dit-il, Brad ? Certes, il travaille sur d'autres marchés, mais il doit bien avoir un avis sur la question, en tant que membre dudit comité.

Brad me jette un œil un peu vitreux, et me tient ce discours postillonnant. « *This subprime stuff ?...* » Brad fait mine de chercher ses mots. Il en trouve deux, qui se passent très bien de traduction : «*fucking brutal !*» Brad développe sa fine appréciation de la chose. «Ça fout la pagaille, ces p... de *subprimes*... Les gens sont super-nerveux, mais tu sais quoi ? *I love it.* »

Really ? «Mais oui, j'adore ! Plus le marché est volatil, plus il a perdu ses repères, et plus on peut faire du fric. C'est normal : les gens sont prêts à payer cher pour se couvrir, il y a plus de possibilités... et quand les gens ont vraiment peur, eh bien ils m'achètent plein de produits. Du blé, du sucre, du sel. Mon truc, c'est des valeurs refuges. J'adore les *subprimes. Yes, man !*»

Brad explique tout cela sans le moindre cynisme. C'est limpide comme de l'eau de roche : les *subprimes*, la crise financière étaient de très bonnes nouvelles pour son *business*[1]. Je lui demande si toutefois Platinum Winch pouvait être en risque ?

---

1. Entre ce soir-là, 10 octobre 2007, et début 2010, le prix du sucre a été multiplié par 3.

« *Are you kidding me ?* – Vous rigolez, ou quoi ? On parle de la Platinum Winch, ici. Je peux vous le dire, je suis bien placé pour le savoir : nous n'avons pas un centime, vous entendez, pas un centime de *subprime* dans nos livres. *Not a dime.* Nous sommes l'une des plus vieilles banques à Wall Street, et ce n'est pas un hasard. *Trust me, Platinum Winch will be around for some time.* »

Rétrospectivement, c'était la vente de « charité » la plus mémorable de tout mon séjour américain. Son impression fut durable. Elle me permit d'apprécier à sa juste valeur le caractère très particulier de la finance américaine.

Remarque préliminaire : je ne vais pas soutenir ici que seuls les financiers américains ressemblent à ces portraits colorés de gérant de *hedge funds*, de marchand de dettes et de *trader*. La même scène se produit tous les soirs dans les pubs de la City de Londres – Petra Nemcova en moins. La singularité sinon la compétitivité de la City de Londres dans les métiers de gestion des liquidités lui confère une réputation non usurpée dans ces domaines, comme devait le confirmer l'excellent Steve Perkins en 2009. Le 30 juin 2009, ce trentenaire *trader* en pétrole, ivre mort après un tournoi de golf (*sic*), se mit à spéculer toute la nuit sur le prix du baril, qu'il réussit à faire bouger de 1,50 $ en moins d'une demi-heure – un impact équivalent à celui d'une crise géopolitique majeure[1]. En termes d'outrances, de confusion des genres (le *trader*

---

1. Source : enquête de la FSA, citée par le *Telegraph*, 30 juin 2010.

pour compte propre qui devient *trader* pour client selon les heures ou plutôt les minutes de la journée), ou tout simplement d'amateurisme, la finance européenne n'est pas en reste. Les exploits de RBS, de l'UBS, des Landesbanken allemandes, de la Société générale avec Jerôme Kerviel, ou des caisses d'épargne françaises ayant perdu en octobre 2008 plusieurs centaines de millions d'euros en laissant une petite demi-douzaine de *traders* sur fonds propres jouer avec le bas de laine des épargnants français, sont connus et méritent d'être rappelés.

Mais les banquiers américains se distinguent de leurs homologues européens par les deux éléments suivants : d'abord, ils sont tout sauf des banquiers ; ensuite, ils entretiennent un rapport assez étrange avec la vérité.

Mes trois petits cochons du Cipriani 55 furent emblématiques dans ce registre. Des trois, aucun, strictement aucun n'exerçait le métier de banquier. Aucun pour prêter de l'argent à des entreprises, des ménages, des collectivités locales. Aucun pour garder à son bilan, dans ses livres de comptes, la trace des engagements pris auprès de tiers. Non, mes trois petits cochons font des métiers bien plus lucratifs : des métiers de trafiquants d'argent, de la même façon qu'il y a des trafiquants de drogue.

L'analogie entre ces deux trafics se justifie. Au départ, l'argent, la « liquidité » en langage financier, est une matière première, pas si rare que cela. C'est en passant de main en main qu'elle prend sa valeur. Plus elle change de main, plus on la trafique, pour lui donner des rendements supérieurs, plus le métier devient dangereux. Fournisseurs et distributeurs vont donc exiger de se faire payer le plus souvent et le plus grassement possible, par exemple tous les ans. Mais surtout, une règle absolue : ne pas toucher à la came la plus dangereuse. Ne pas garder la came dans ses livres ou ses entrepôts. Si le crack se vend bien dans les rues de Los Angeles, en écouler des wagons, mais pas touche. Si les clients veulent du produit avarié – les *subprimes* des NINJAS, lui en donner abondamment, mais ne pas le garder dans les livres ou entrepôts de la « banque ».

Les nouveaux « banquiers » du XXIe sont donc ces trafiquants d'argent, constituant des fortunes immenses pour eux-mêmes, et laissant *in fine* tout le risque, et tous les pots cassés, au consommateur final. D'ailleurs, quelle différence y a-t-il entre Bernard Madoff et ces trafiquants d'argent ? L'un comme les autres savent qu'ils vendent du vent ou, pire encore, des pertes à leurs clients. Est-il raisonnable que l'un soit en prison, tandis que les autres continuaient de recevoir, en toute légalité, plus de cent milliards de dollars de bonus, quelques mois après la crise qu'ils avaient provoquée ?

J'ai suivi chaque jour ce que l'on a appelé « l'affaire Madoff », formidable feuilleton d'une chasse à l'homme organisée. Que signifiait ce chiffon rouge, cette quête du bouc émissaire parfait ? Le procès de Madoff, sa culpabilité évidente mais sur des sommes si minimes relativement à la crise, n'a-t-il pas empêché le vrai procès, le seul qu'il fallait tenir ? Celui d'une finance américaine tout entière tournée vers la captation du profit pour elle seule, et au détriment de tous ? Le procès, à tout seigneur tout honneur, de Goldman Sachs, mais aussi de Merrill Lynch, Lehman, JPMorgan Bear Stearns, Citigroup, et tous ces autres grands noms, hier prestigieux ? Le procès de ces institutions trop occupées à prendre des commissions de courtage, de passage, de structuration et déstructuration de produits, au point de ne plus avoir le temps de faire leur métier de banquier, qui consiste à prendre des risques dans la durée et à les conserver dans leurs bilans, au lieu de les fourguer au premier venu.

J'ai découvert un peu plus tard, fin 2009, une publicité qu'un de mes amis américains, chômeur, reçut chez lui : elle proposait de souscrire à une carte de crédit pour des personnes ayant un mauvais historique de crédits – par exemple ce chômeur. Le taux d'intérêt réclamé par la banque était de 79,9 %[1].

Que mes amis américains me pardonnent : à part le Zimbabwe – pour cause d'hyper-inflation et non d'hyper-cupidité –, je n'identifie aucun autre pays dans le monde, au XXIe siècle, capable d'une telle usure.

Une finance américaine usurière, égoïste, dangereuse comme le sont les trafiquants de drogue. Mais le pire est ailleurs. Il est dans ces trois petits cochons du Cipriani 55, qui n'ont pas hésité un seul instant à me mentir de la façon la plus directe, la plus « *in your face* », ce soir-là. En effet, un an après cette soirée, la Golden Bear de Sam, la Silver & Stone de John et la Platinum Winch de Brad avaient toutes les trois étaient rayées de la carte, ou ne durent leur survie qu'aux nombreuses et coûteuses interventions des autorités américaines. Ces trois institu-

---

1. La publicité (« *you might have less than perfect credit and we are OK with that* ») s'engageait sur une validation de dossier «moins de soixante secondes après» la demande par téléphone ou en ligne. Un produit de la First Premier Bank, 3,5 millions de clients aux Etats-Unis, spécialisée dans la clientèle *subprime*. Source : *USA Today*, 21 décembre 2009.

tions étaient vérolées, ayant des crédits pourris dans tous leurs livres, ou des engagements auxquels elles ne purent faire face sans l'intervention du gouvernement.

Mes trois petits cochons m'avaient donc tous menti. Qu'ils connussent ou non à l'époque le risque *subprime* de leurs institutions respectives, peu importe, le résultat était le même : ils m'avaient raconté des histoires. Avec un naturel qui donne corps à l'expression « mentir comme on respire ».

Dominique, vrai banquier lui, dirigeait l'une des principales banques d'affaires européennes aux Etats-Unis. Nous échangions régulièrement nos analyses sur son industrie. Lui aussi, en trente ans de carrière, dans une dizaine de pays, était sidéré par la capacité des banquiers américains à vendre et raconter n'importe quoi. Il avait une théorie intéressante à leur endroit : « Ne soyons pas naïfs : en Europe et en Asie, le risque de se faire escroquer existe aussi. Ici, la seule différence est dans l'échelle des vols, et dans le comportement de ceux qui les commettent : une absence totale de scrupules. Jamais la moindre gêne. Quand on leur met le nez devant leur forfaiture, l'échappatoire est toute trouvée : "c'était dans le contrat", ou "c'est votre interprétation du contrat, allons voir les juges"... » Dominique va plus loin. Il estime que l'obligation récurrente aux Etats-Unis de prêter serment sur la Bible, notamment lors des dépositions dans des procès, est « le seul moyen de les faire réfléchir un minimum sur leurs responsabilités, de leur faire prendre conscience qu'il existe un Juge Suprême que même les avocats les plus habiles ne peuvent tromper. Sinon, leur capacité de pillage serait sans limites. »

Si l'infini et le divin sont la seule borne à la capacité de mensonge des financiers américains, alors tout s'explique.

Ce mensonge-là ne passe pas chez moi. La parole d'un banquier, ce n'est pas une notion à prendre à la légère. La parole d'un banquier est rare, précise. Elle ne fait pas de bruit, mais a beaucoup d'effets concrets et durables dans la vie. La parole d'un banquier qui dit « je suis à vos côtés », ou celle d'un banquier qui dit « non », permet de s'appuyer sur une réalité présente, de projeter un avenir, et d'entreprendre. Si les banquiers se mettent à raconter n'importe quoi, comme mes trois petits cochons de Wall Street, qui pourra accompagner les entrepreneurs de demain, les ménages, les collectivités locales ? Si les banquiers ne sont plus là, qui les remplacera ? L'Etat et son guichet unique, avec ce que cela signifie de risques de prévarication et d'inefficacité bureaucratique ?

L'autre mot pour désigner le *crédit*, bancaire ou non, est la *confiance*. Si les déposants n'ont plus confiance dans leurs banquiers, parce que ces derniers les bernent et jouent sans retenue avec leur argent, à leur seul avantage personnel, on tue la confiance, et donc la banque. Et, partant de là, l'économie. Et très vite, la société dans son ensemble.

On moquera ma conception peut-être d'un autre temps du rôle et de la parole d'un banquier. Je n'y peux rien : je suis fils de banquier.

Mon père a passé plus de trente ans au service d'une même institution, que l'on appelait à la maison, avec une certaine révérence, « La Banque ». Cette Banque était bien mystérieuse pour l'enfant que j'étais. Il était hors de question d'en parler en famille. L'activité de mon père y était aussi taboue que son objet principal : l'argent.

Les activités financières prirent naturellement dans mon esprit les traits et le caractère de mon père : la Finance serait donc discrète, attentive et stable. On pouvait compter sur elle en toutes circonstances : elle assumait toutes ses responsabilités, sans pour autant fanfaronner ou tirer la couverture à elle.

La Finance n'était pas une affaire à prendre à la légère, et commandait le respect : attrapant des bribes de conversations entre grandes personnes, je comprenais que cette activité était importante, essentielle même : « Si ce prêt n'est pas renouvelé, l'entreprise ferme les portes, et nous avons des milliers de personnes sans emploi ! » Bigre. Je découvris aussi, à l'âge de douze ans, que la Finance était courageuse : elle prenait des risques ! Elle était aussi prévoyante, n'hésitant pas à faire des *provisions* pour les jours difficiles.

La Banque prêtait en effet, comme beaucoup d'autres banques d'affaires, de l'argent à des entreprises, des entrepreneurs. Elle investissait même de l'argent dans des entreprises dont elle devenait actionnaire, sur le long terme. C'était dangereux : elle pouvait perdre tout cet argent. Elle pouvait aussi – c'était le but – en gagner dans la durée, en faisant fructifier des *participations industrielles*.

Sans la Finance, pas d'entreprises, pas d'emplois, pas de richesses. Vérifications faites, c'était bien la version que donnaient les manuels d'économie de l'époque : la banque, un *rouage* au service de l'économie. La présentation du rôle des banques y était plutôt positive, malgré l'idéologie souvent marxisante de ces manuels, si prompts à louer les vertus des gentilles économies collectivistes (Inde, pays d'Europe de l'Est entre autres) et à noircir les errements des vilains pays développés, synonymes de crise, de chômage, de pollution, etc.

Si, dans les années 1970 et 1980, la Finance n'avait pas mauvaise réputation, même chez les adversaires du capitalisme, elle devait donc remplir une vraie fonction utile, et ses bénéfices devaient être en commune mesure avec les risques pris, dans la durée, sur son bilan.

Que s'est-il passé pour que, une génération plus tard, les banquiers se soient transformés en trafiquants d'argent, menteurs comme mes trois petits cochons de Wall Street, âpres au gain pour eux-mêmes mais si peu soucieux de la pérennité de leurs clients – ou de leur employeur ? Enfin, que signifie une finance qui ne finance plus rien d'autre qu'elle-même, et pas l'économie ? L'Amérique, après avoir exporté avec succès ce modèle dans le monde entier, sera-t-elle capable d'en réécrire un autre, moins illégitime et moins dangereux pour nos sociétés ?

Ci-gît l'Amérique ?

Chapelle Saint-Paul, 209 Broadway, Downtown

A un jet de pierre de Wall Street se dresse l'un des bâtiments les plus anciens et les plus émouvants de la ville de New York : il s'agit de la chapelle Saint-Paul, au numéro 209 de Broadway. Elle dépend d'une église plus importante, Trinity Church, établie directement dans le prolongement de la rue de Wall Street. Les deux bâtiments sont aujourd'hui essentiellement visités par les touristes, et très rarement par les banquiers et *traders* environnants.

Ce n'est pas faute d'avoir guetté ces derniers sur les bancs des églises : pendant les mois d'automne 2008, la peur d'un effondrement du système financier mondial était non seulement réelle mais palpable à New York. Les gens ne parlaient que de cela. Chacun savait bien, à commencer par ceux dont la responsabilité était alors de dire le contraire, qu'il n'y avait plus aucun pilote dans l'avion. Le spectre de la ruine était dans tous les esprits.

J'espérais ardemment que le caractère imminent d'une telle menace produirait des comportements vertueux chez mes coreligionnaires. J'imaginais donc des hordes de financiers venir à genoux en procession, du New York Stock Exchange jusqu'à Trinity Church, implorant le pardon de leurs semblables pour toutes leurs fautes, promettant de ne pas recommencer, et soulageant leurs consciences et leurs portefeuilles des milliards de dollars qu'ils avaient volés à l'économie, en toute légalité, sous forme de bonus garantis, primes de performance ou de licenciement et grasses commissions en tous genres.

Malheureusement, dans la religion du profit de court terme, l'acte de contrition est un blasphème, et le renoncement à l'argent, une apostasie. Les bancs de Trinity Church restèrent désespérément vides, ou très clairsemés, lorsque je m'y rendis.

Ce n'était pas le cas des environs de la chapelle Saint-Paul, à laquelle l'histoire et la géographie confèrent une identité exceptionnelle, très américaine.

Cette chapelle, construite en 1766, n'est pas d'une splendeur excessive. Elle est même modeste. Mais c'est elle que George Washington a choisie pour s'y recueillir après son investiture de premier président des Etats-Unis, en avril 1789. Il faut dire qu'elle avait été la seule église rescapée d'un immense incendie à Manhattan, douze années auparavant.

Rescapée, la chapelle Saint-Paul le fut une nouvelle fois, dans des circonstances encore plus tragiques : le 11 septembre 2001, les tours voisines du World Trade Center, littéralement au bout du jardin-cimetière de l'église, s'effondraient après les attentats terroristes.

Dans les jours et les mois qui suivirent, dans un moment très américain de solidarité immédiate, instinctive, et débordante, des milliers de personnes vinrent dans cette chapelle se recueillir et reprendre des forces : pompiers, médecins, bénévoles et blessés.

J'y suis allé plusieurs fois, et notamment le 31 octobre 2008, à l'heure du déjeuner. Ce jour-là, j'avais perdu toute confiance dans l'Amérique. Tout ce dont j'avais été témoin les seize derniers mois m'effrayait. Il y avait la crise financière, bien sûr, dont l'origine et les vecteurs de distribution étaient 100 % américains, et qui allait se diffuser à toute vitesse dans le reste du monde. Mais au-delà de cette crise, qui n'était que la pointe d'un édifice, tout ce que je voyais me révulsait : l'omniprésence de l'argent ; les dysfonctionnements graves du système de santé, de l'éducation, du logement ; la violence et l'injustice assumées, et même délibérées.

Qu'est-ce que c'est que ce pays qui jette son argent aux chiens, qui laisse ses enfants mourir précocement de leur obésité ? Et qui laisse les petits cochons de Wall Street libres de ravager l'économie et la société comme bon leur semble ?

J'essaie de réfléchir à tout cela, sur un des bancs à l'extérieur de la chapelle, envahie par les touristes. Où est passée l'Amérique que j'aime ? Où est sa puissance ? Au dehors, sous mon nez, le spectacle de Ground Zero est affligeant : sept ans après les attentats terroristes, rien ne repousse à l'endroit du World Trade Center. Faute de financement, et de volonté commune permettant de réduire à néant les conflits de personnes et d'intérêts particuliers[1], il reste ce

---

1. Notamment entre la Port Authority de New York et le propriétaire du bail des tours jumelles, Larry Silverstein.

charnier de métal et de terre, plaie béante à jamais ouverte ? Les petits et gras cochons de Wall Street, malgré leur enrichissement hors de toute proportion, et hors de toute utilité économique, ces sept dernières années, n'ont même pas été capables de financer la reconstruction du site, pour faire œuvre utile. Où est leur fameux *give-back* ?

Enfin et surtout, puisque je suis dans une église, qu'en est-il de cette religion des marchés, cette croyance folle selon laquelle les marchés sont la seule force légitime, bien au-delà de celle des peuples – que l'on qualifie systématiquement de « populistes » ? Or, cette religion avait justement un grand prêtre en Amérique. Une sorte d'imam, d'archevêque, de grand mufti : Alan Greenspan, le tout-puissant ex-président de la Fed. Que vient de dire le grand prêtre Greenspan, l'homme qui n'a eu de cesse, d'août 1987 à janvier 2006, de déréguler, d'encourager les gouvernements américains à laisser faire et laisser filer les déficits avec des taux d'intérêt excessivement bas ; le disciple d'Ayn Rand, cette pythie des milieux conservateurs, dont les brûlots ridiculisaient l'idée même d'intérêt général, et faisaient l'apologie des comportements égoïstes ? Pas vraiment contrit, mais la tête basse, Alan Greenspan devait déclarer au Congrès américain, le 23 octobre 2008 : « Oui, j'ai trouvé une faille (*I have found a flaw*) ». Une faille dans son idéologie, selon laquelle les marchés libres s'ajustent toujours d'eux-mêmes. Cette faille le « choque » profondément – le pauvre.

Je compatis à sa douleur : ce n'est pas rien, une faille, lorsque l'on est, comme M. Greenspan, dans un registre d'idéologie ou de religion. Comme si le grand prêtre se mettait à douter de l'existence de Dieu devant ses fidèles.

Que faire, lorsque les fondations du temple s'effondrent ? Changer de foi ?

Est-ce vraiment cela, le capitalisme à l'américaine ? Une jungle où tous les coups sont permis ? Un *no man's land* où enfants et adultes sont surendettés, non pas pour se préparer un avenir meilleur, mais pour mal se nourrir, mal se loger (des millions de maisons abandonnées car saisies par les banques), mal se soigner, et recevoir une éducation plus ou moins bonne selon le degré de fortune, le *ZIP code* (le code postal), les connexions sociales et la chance ?

Enfin, qu'est-ce que ce capitalisme, qui sur-rémunère l'échec économique et l'inutilité sociale – les banquiers de marché et *traders* –, et sanctionne les acteurs vertueux : les épargnants qui financent l'économie, les entreprises qui créent des emplois, et les fonctionnaires qui permettent à nos sociétés de tenir debout – jusqu'à ce qu'on les dégraisse pour solde de tout compte, et en remerciements de leurs bons et loyaux services ?

En ce dernier jour d'octobre 2008, je ne donnais pas cher de l'Amérique. Je ne savais pas à ce moment-là que, dans les deux années qui allaient suivre, l'Amérique allait détruire plus de huit millions d'emplois, creuser des déficits d'un niveau tel qu'elle ne les rembourserait jamais. Je devinais en revanche que l'Amérique allait manquer l'occasion de cette crise pour ajuster son modèle économique et social à sa réalité nouvelle : celle d'un pays à bout de souffle.

Certains de mes voyages en dehors de New York, durant les seize premiers mois de mon séjour américain, me confirmèrent dans cette impression. Les immeubles vides ou à moitié construits à Miami, faute d'argent. Un casino de deux mille machines à sous en rase campagne, en pleine Pennsylvanie, attendant de vider les poches des jeunes désœuvrés, préretraités et paralytiques (*sic*) des villes environnantes. Et pendant ce temps-la, ce que l'on appelait le tiers-monde il y a seulement vingt ans siphonnait l'Amérique de sa substance économique, délocalisant dollars et matières grises à la vitesse d'un email.

Quel titre allais-je donner à mon livre ? « La fin de l'Amérique » ? « Le crépuscule de l'Amérique » ? « Ci-gisent les Etats-Unis d'Amérique, 1776-2008 » ? Ce livre est mort et enterré [1].

Il a été dépassé par une réalité bien supérieure à ces forces de déclin, qui menacèrent de faire sombrer l'Amérique. Cette réalité est consubstantielle à l'Amérique : il s'agit de sa capacité à se réinventer dans tous les domaines, et à faire table rase du passé. Passifs inclus. L'Amérique n'a pas dit son dernier mot. Le reste du monde, Europe en tête, ferait bien de s'en inspirer. Ou, à défaut, de s'en inquiéter.

Là est le vrai génie de l'Amérique : sa capacité à changer. Ce n'est pas moi qui le dis, mais Barack Obama, le soir de son élection [2].

Avant de partir à Washington DC ce soir-là de novembre 2008, commençons par le vrai centre, le vrai

---

1. Si vous le souhaitez, vous pourrez en exhumer des fragments sur mon blog : www.etatsunisdeurope.com. Ce sont, tels quels, mes notes et carnets pris sur le vif, dans la tourmente de la crise de 2008.
2. « *For that is the true genius of America – that America can change.* »

cœur de l'Amérique. Il est très loin du Midwest : il est à la frontière. Il est dans les poches du dernier immigrant entré, légalement ou pas, sur le territoire américain. Ce vrai centre, j'ai été le trouver entre l'Arizona et le Mexique, dans l'une des villes frontières les plus dangereuses de la région : Nogales. Bienvenue dans la patrie des *Born-again.*

DEUXIÈME PARTIE

Born-again, made in USA

Arizona

Avril 2009, Americana Motor Hotel,
Nogales, Arizona

« *I hereby declare, on oath, that I absolutely and entirely renounce and abjure all allegiance and fidelity to any foreign prince, potentate, state, or sovereignty of whom or which I have heretofore been a subject or a citizen.* »

Première phrase de la *United States Oath of Allegiance*, prestation de serment obligatoire pour tout nouveau citoyen américain issu de l'immigration[1].

« *But what are you here for, exactly ?* »
Même posée avec un large sourire, la question de la gérante de l'hôtel est déconcertante. « Vous êtes là pour

---

1. Les personnes prêtant serment renoncent à tout lien d'allégeance et de fidélité à leur pays d'origine. La suite du serment va plus loin : « *I will support and defend the Constitution and laws of the United States of America against all enemies, foreign and domestic ; that I will bear true faith and allegiance to the same ; that I will bear arms on behalf of the United States when required by the law ; that I will perform noncombatant service in the Armed Forces of the United States when required by the law ; that I will perform work of national importance under civilian direction when required by the law ; and that I take this obligation freely without any mental reservation or purpose of evasion ; so help me God.* »

quoi, au juste ? » Sa surprise semble d'autant plus réelle que son hôtel est vide. Le client est ici inattendu. Suspect.

C'est drôle de se retrouver tout seul dans un hôtel de 97 chambres, sa piscine, son restaurant, son bar. L'Americana Motor Hotel, récemment repeint en rouge et jaune très vifs, situé sur la grande route de Nogales, Arizona (Etats-Unis), à 500 mètres de la ville de Nogales, Sonora (Mexique) a eu son heure de gloire, ou les yeux plus gros que le ventre. Ses propriétaires ont-ils sous-estimé le caractère dissuasif du trafic de drogues sur le tourisme local ? De l'autre côté de la frontière, on déplorait 72 assassinats l'année dernière, tous liés à ce commerce particulier. Joli score pour une ville de 190 000 habitants côté mexicain. La police locale ne semble pas être en mesure d'endiguer ce phénomène : 188 policiers ont été limogés ces dernières années pour corruption[1].

Pourquoi suis-je là ? Pas pour la drogue, ni pour obéir à une pulsion suicidaire, mais pour tenter de mieux comprendre une réalité structurante des Etats-Unis d'Amérique. Une réalité immense, mouvante, à l'histoire chahutée depuis trois siècles : la frontière entre les Etats-Unis et le Mexique.

Les frontières intriguent. On croit, particulièrement dans l'Europe de Schengen, vivre dans un monde où les séparations entre les pays s'estompent, disparaissent à coups de traités de libre-échange, de révolution numérique, de décennies de paix et de prospérité.

---

1. Source : *The Economist*, 4 octobre 2008.

Aux Etats-Unis aussi, l'absence de frontières visibles dans la vie quotidienne est notable. Pas de frontières entre les cinquante Etats. Pas de fils barbelés ni de miradors entre le Canada et les Etats-Unis. A l'ouest et à l'est des Etats-Unis, pas de frontières mais deux océans. Dans les villes et les campagnes, les grilles, portails, clôtures limitant la propriété de chacun sont très rares : l'enclos semble une incongruité dans ce pays de pionniers en mouvement.

Mais au sud des Etats-Unis d'Amérique, la frontière se venge. Elle se défoule. De San Diego/Tijuana à Brownsville/Matamoros, environ 20 000 douaniers mobiles surveillent 3 200 kilomètres de frontières, dont 2 000 kilomètres de fleuve difficilement franchissable (Rio Grande) et 500 kilomètres de désert. Auxquels il convient d'ajouter 1 000 kilomètres de fils barbelés (une distance plus grande que Paris-Marseille).

Je tente de satisfaire la curiosité de la gérante de l'hôtel Americana. « Je suis venu voir les deux Nogales. L'américaine et la mexicaine. Cela m'intéresse de voir les différences entre ces deux villes qui portent le même nom. Pourquoi autant de Mexicains risquent leur vie pour venir aux Etats-Unis. Je suis Français, je prépare un livre sur l'Amérique, alors vous comprendrez que... »

Non, décidément, la gérante comprend de moins en moins ce que je fabrique ici. Elle me donne ma clé de mauvaise grâce, écarquille des yeux de carpe lorsque je lui demande une bonne adresse pour dîner en ville, et me donne une dernière consigne : « *If you want to cross the border, be careful not to take your gun. It is illegal in Mexico.* »

Muni de cette aimable consigne, je décide de par-
courir à pied, sans revolver ni gilet pare-balles, les
500 mètres qui me séparent du Mexique, avec la ferme
intention de dîner à Nogales la mexicaine. Et la résolu-
tion d'en faire un chapitre si j'en sors vivant.

Côté américain, la North Grand Avenue ressemble à
n'importe quelle avenue de ville moyenne américaine.
Elle me fait penser à la Poyntz Avenue de Manhattan,
Kansas. Déserte, sans âme ni passants. Presque un terrain
vague, ou une zone démilitarisée. Les grands commerces, les *malls*, sont deux kilomètres plus loin. Une
petite église, catholique, surplombe cette artère de ville
fantôme. Nous sommes en semaine sainte. Je vais y faire
une prière. On n'est jamais trop prudent.

M'approchant du *check point*, je retrouve un peu de vie
et de couleurs. De manière emblématique, les trois dernières enseignes que je vois avant la frontière sont un *fast
food* (MacDonald's), une banque (Wells Fargo) et un
prestataire de services automobiles (Auto Zone). Saluant
une dernière fois ces fondamentaux américains, j'avise
un panneau blanc : « *Fire Arms Ammo prohibited in
Mexico* ». Armes et munitions interdites, effectivement.
Ce n'est pas le moindre des paradoxes, la violence des
gangs étant essentiellement présente de l'autre côté de la
frontière. A l'instar de l'Afrique qui ne produit pas
d'arme à feu[1] mais concentre les conflits les plus meur-
triers du globe, le Mexique se fournit en armes chez son
grand voisin américain, tandis que ce dernier s'appro-
visionne en cocaïne, marijuana et autres drogues plus ou

---

1. A l'exception de l'Afrique du Sud.

moins dures et douces chez son voisin du sud. Les termes de l'échange sont assez clairs : achetez notre drogue, nous vous achetons vos armes.

Je passe la frontière en un clin d'œil, entouré de quelques Américains, majoritairement plus âgés que moi. Pourquoi viennent-ils à Nogales la mexicaine ? « *Shopping, my friend. Beers, medicine, all this stuff.* » La santé et l'alcool seraient-ils meilleur marché qu'aux Etats-Unis ?

Me voici au Mexique. J'ai fait cent mètres, et j'ai changé de monde. L'Avenida Obregon est l'exact contraire de la North Grand Avenue. Elle est sale, poussiéreuse, bruyante : un capharnaüm. La vie déborde de partout. Les gens aussi. On se bouscule, on se crie dessus, ça klaxonne pour un oui ou pour un non. On vend de tout et surtout de n'importe quoi dans la rue.

Le choc est violent. J'étais dans une ville morte, vide, où tout était en ordre. Comme au cimetière. Me voici jeté d'un coup dans la vie à l'état brut. Non seulement il y a dix fois plus de gens dans les rues, mais ils sont deux fois plus jeunes[1].

Avant de dîner, je me promène dans les artères les plus animées. J'y fais une découverte inattendue : il y a des dentistes absolument partout ! Pas à chaque coin de rue : à chaque étage de chaque immeuble. Les plaques de cabinets dentaires se superposent, toutes en anglais : clientèle américaine oblige. A moins d'un grave problème dentaire spécifique à l'Arizona, je suis tenté d'y voir la preuve supplémentaire du dysfonctionnement du système de santé

---

1. Nogales, Etats-Unis : 20 000 habitants ; Nogales, Mexique : 190 000.

américain : s'il est plus intéressant pour les Américains de se faire poser des plombages dans une ville où l'on assassine à un rythme plus qu'hebdomadaire, il est probable que les dentistes américains forcent sur leurs honoraires.

Autre commerce sur-représenté à Nogales, Mexique : les pharmacies ! Là encore, pour les mêmes raisons : aux Etats-Unis, le prix du médicament, mais aussi le coût de sa prescription (pas de visite médicale à moins de 150 $ à Manhattan), justifient le voyage à la frontière.

Soucieux de voir à quoi ressemble une pharmacie-mexicaine-pour-Américains, je pénètre dans la bien nommée Farmacia Medix, Calle Aguirre. Une pharmacienne deux fois plus jeune que moi m'accueille avec un grand sourire : je dois être dans son cœur de cible. « *What do you need ? We have everything for you. Look.* » Et la pharmacienne de me tendre une feuille orange fluorescente avec une liste d'une dizaine de médicaments. Ses meilleures ventes. Je lis ce palmarès en creux des manques, déficiences et besoins essentiels des Américains de l'autre côté de la frontière. Ce qui donne, dans l'ordre :

Prozac
Viagra. « 8 dollars ». Sans prescription
Valium
Tylenol – équivalent Doliprane
Zyloprim – prévention de la goutte et des calculs rénaux
Lisinopril – pour l'hypertension et les cœurs fatigués
Protonix – bloque les renvois d'acides gastriques
Testostérone. En gel
Voltaren – parfait pour les rhumatismes

Singulière pharmacopée pour une clientèle de dépressifs, impuissants, anxieux, trop grassement nourris, en panne chronique de libido et d'énergie…

Je sors de la Farmacia Medix, avec une information supplémentaire bien que partielle de l'état de santé de l'Amérique. Mais c'est bien sous mes yeux que se produit le miracle américain à venir. A Nogales, Mexique, les rues, les immeubles, les trottoirs débordent de monde, de vie. Les restaurants sont plus modestes, nettement moins chers, et plus épicés que leurs homologues standardisés, vides et spacieux de l'autre côté de la frontière. Combien de temps ce déséquilibre, purement artificiel, peut-il durer ? Au nom de quelle raison supérieure mon hôtel aux 97 chambres aussi spacieuses qu'inoccupées devrait-il rester vide, tandis que le monde grouille cinq cents mètres plus loin ? D'un côté, Nogales l'américaine, vide, ennuyeuse, sans âme, mais étendue, avec des routes propres en bitume : un décor de cinéma splendide, mais sans acteurs ; de l'autre côté, les acteurs.

Comment imaginer un seul instant que ce déséquilibre dure, que le trop-vide, le trop-vieux, le trop-fatigué, ne puisse se remplir du trop-plein, du trop-jeune, du trop-vivant de l'autre côté de la frontière ?

C'est à Nogales que je prends en pleine figure la réalité première de l'Amérique, celle qui définit toutes les autres : l'Amérique est une terre d'immigration. Le miracle américain du XXIe siècle, ce n'est rien d'autre que le flux continu et grossissant de l'immigration, officielle ou clandestine.

Existe-t-il une seule raison valable, morale, démographique ou économique, pour que le rééquilibrage ne se produise pas ? Les Mexicains ont déjà répondu à cette interrogation : ils viennent en masse. Rien, ni les miradors, ni les Border Patrols, ne parait pouvoir les arrêter. Même le désert est devenu une barrière franchissable pour eux. La veille de mon arrivée à Nogales, je me promenais dans le désert de Sonora, à quelques kilomètres de Tucson – l'une des grandes villes du sud de l'Arizona, par laquelle transitent les immigrés venus de l'autre côté de la frontière.

Le désert de Sonora est un désert de carte postale : on y trouve des décors de western, ou à la Lucky Luke, avec ces immenses cactus de plus de dix mètres, le cactus Saguaro. Un bonheur pour touristes.

En revanche, pour les centaines de milliers de personnes qui essaient de franchir clandestinement la frontière chaque année (556 041 personnes appréhendées en 2009, d'après le Department of Homeland Security), le désert de Sonora, qui s'étend sur 300 000 kilomètres carrés entre le Mexique, l'Arizona et la Californie, a deux inconvénients assez désagréables, que j'ai rencontrés de près.

Premier inconvénient : le soleil. Il fait très, très chaud dans le désert de Sonora. Moyenne annuelle 28 degrés. Pointes à 40, 42, 46 degrés. La faune y est donc essentiellement constituée de coyotes, rats, et lézards. Et du second inconvénient pour les Mexicains cherchant à entrer en Amérique : le *Crotalus atrox* (*sic*).

Le *Crotalus atrox*, du joli nom de « crotale diamantin de l'Ouest », est aussi vulgairement appelé « serpent à sonnette ».

Je devais faire sa connaissance d'un peu trop près, en

avril 2009, à quelques centaines de mètres de la route où nous avions laissé notre voiture. A vrai dire, le serpent à sonnette est aimable. Il sonne – en fait, un sifflement très puissant – pour vous avertir que vous empiétez sur son territoire, et qu'il serait donc bienvenu de 1) ne pas bouger, 2) lentement rebrousser chemin.

Une manœuvre pas évidente à faire lorsque vous vous promenez avec votre enfant de deux ans dans sa poussette, et que vous n'avez pas la moindre idée de l'endroit où se trouve l'*atrox Crotalus*. Devant notre refus apparent d'obtempérer, le serpent nous sonne à nouveau. Sur l'air de « deuxième sommation, après je vous tue, vous ou votre fille ».

C'est là que je vis le serpent. Il était à trois mètres de nous, sur la droite. Dressé sur ses anneaux, assez majestueux. Mais très nerveux. A deux mètres cinquante des jambes de ma fille. Sueurs froides.

On recule doucement. Très doucement. Le *Crotalus* semble s'en contenter. Puis, quand le danger est écarté, on court à toute vitesse rejoindre la route. Vite, vite, quitter ce désert où il me semble tout à coup que chaque pierre, chaque monticule de sable pourrait cacher un autre serpent fatal.

Rentré chez notre logeur, un Américain de première génération – un Hongrois venu s'installer à New York dans les années 1970, avant de s'établir en Arizona –, je lui raconte l'histoire. Quels risques avais-je vraiment courus ? A l'américaine, il me répond calmement : « Bon, si le serpent vous avait mordu, vous auriez peut-être survécu en allant tout de suite à l'hôpital. Vos grandes filles — 7 ans et 11 ans — cela dépendait du trafic sur la route. Votre dernière fille de 2 ans ? *Forget it.* »

La conversation roule sur les Mexicains clandestins, que j'imagine souvent confrontés à ce risque de serpents. « Ne m'en parlez pas. Ils sont pires que les *rattlesnakes*. Au moins, les *rattlesnakes*, eux, ne vous volent rien. Moi, cela fait cinq ans que je suis ici dans cette maison. Je n'aime pas les armes à feu, mais là je vais être obligé de m'armer. Deux citernes d'eau percées en moins d'un an. Trois cambriolages. *Enough !* Les Mexicains, je n'en veux plus autour de ma maison. » A ce moment-là arrive la domestique de la maison. « Je ne disais pas cela pour vous, Maria. » Un ange passe. Pas contente, la Maria.

C'est bien là tout le dilemme : certains Américains voudraient bien se débarrasser des Mexicains clandestins. Mais ils ne peuvent pas se passer de leurs services : une main-d'œuvre éduquée, pas chère, souple, et n'hésitant pas à travailler dur pour trouver sa place dans la société américaine.

De toutes façons, les Mexicains n'attendent pas qu'on les autorise à s'établir aux Etats-Unis : ils y entrent, coûte que coûte, et effectivement au péril de leur vie. Entre les morts par déshydratation, par morsures de serpent, par balles — les Border Patrols et les milices de quartier s'en privent d'autant moins que les passeurs les plus efficaces se révèlent appartenir aux principaux cartels de la drogue — la University of Arizona estime que plus de mille personnes sont décédées dans les années 2000 en tentant de passer la frontière. Soit dix fois plus que dans les années 1990. Trois fois plus que les personnes décédées en tentant de franchir le mur de Berlin, pendant les vingt-huit ans de son histoire.

Ces chiffres spectaculaires expriment d'abord la détermination des immigrants à quitter leur condition, pour tenter de réaliser leur rêve américain, même au risque de leur vie. Plus de 1 000 morts en dix ans, plus de 500 000 arrestations par an, ne dissuadent en rien les immigrants.

Les Irlandais, les juifs d'Europe centrale, les Italiens des XIXe et XXe siècle avaient-ils un courage supérieur, des motivations plus nobles que leurs successeurs mexicains ? Qu'y a-t-il de plus honorable, entre fuir en bateau la maladie de la pomme de terre et les pogroms, ou abandonner l'extrême pauvreté et la loi des cartels, pour refaire sa vie et peut-être faire fortune dans un Etat de droit ?

Il n'y a pas de différence mais bien un code commun : celui des pionniers. Le code de ceux qui ont tout abandonné, jusqu'à leur propre vie, pour se reconstruire ou chercher la fortune ailleurs. Ici se loge le miracle américain sans cesse renouvelé : quand vous avez traversé un désert ou un océan, franchi la mort, les serpents, les services de sécurité et les milices de la nation la plus riche et la plus armée du monde, qu'est-ce qui pourrait bien vous arrêter ? vous rebuter ? Pas l'absence de subsides, de sécurité sociale, d'allocations en tous genres. Encore moins les contraintes légales : on se débrouille toujours lorsque l'on est un pionnier.

Ce code américain, je l'ai retrouvé dans tout mon quotidien new-yorkais. Les Latinos livreurs de pizzas, risquant leur peau à chaque feu rouge brûlé pour gagner 20 dollars par jour. Les files d'attente de *job fairs* faisant

plusieurs centaines de mètres, pour proposer une douzaine de jobs à temps partiel. L'acceptation permanente
d'une vision darwinienne de l'existence : si vous avez
perdu votre job, si vous ne pouvez plus nourrir votre
famille ou payer les mensualités de votre maison, tant pis
pour vous. Mais si vous êtes là, vivant, avec toutes vos
capacités, alors tout est possible : la survie, mais aussi la
fortune, pour vous-même ou, encore mieux, pour vos
enfants.

Pour un Européen pétri de culture humaniste, dor-
loté avec des couvertures maladies universelles et pansé
à coups de subventions en tous genres contre les aléas
de la vie (Assedic, RSA, RMI, CAF, etc.), le modèle
américain est déroutant. D'un côté, il plébiscite l'immigration, en a besoin pour continuer de se renouveler,
de progresser. De l'autre, il refuse toute forme d'assistance, viscéralement persuadé que le travail et l'effort
mènent à la dignité humaine bien plus sûrement que
des revenus d'assistance, entretenant les êtres humains
dans une pauvreté morale.

Les résultats sont très impressionnants. D'abord, dans
la psychologie générale de la nation, qui refuse dans ses
gènes l'idée même d'assistanat. Celui qui est assisté, au
fond, ne fait pas vraiment partie de la société : il est un
citoyen de seconde zone, une charge parasitaire que la
société est obligée d'assumer, *volens nolens*. D'où une
plus grande tolérance pour les immigrés clandestins,
parce qu'ils sont présumés travailler. En revanche, le
regard porté sur les assistés est terrible. Pas de pitié : vous
aviez votre chance, vous avez chuté, débrouillez-vous.

Comment résumer ce modèle de société, en quelques

chiffres ? Les chiffres de la violence, de la pauvreté, de l'injustice aux Etats-Unis sont connus[1]. Un autre chiffre – une estimation – est moins connu : grâce à leur modèle fondé sur l'immigration choisie ET subie, les Etats-Unis seront le seul grand pays développé au monde à voir leur population connaître une telle croissance au XXIe siècle. Joel Kotkin l'explique dans son livre *The Next Hundred Million*, anticipant que les Américains seront peut-être 400 millions avant 2050 (contre 300 millions aujourd'hui).

D'autres études sont encore plus enthousiastes. Les dernières estimations du *think tank* New America Foundation envisagent 500 millions d'Américains en 2050, et un milliard en 2100.

Si l'Amérique va effectivement doubler voire tripler sa population dans le siècle prochain, c'est d'abord grâce à l'immigration – du Mexique et d'ailleurs. Le Center for Immigration Studies estime qu'en 2007, 1 Américain sur 8 était un «immigré», clandestin ou non ; pour cet institut, les deux tiers de la croissance de la population américaine d'ici à 2060 viendront de l'immigration.

Et cette immigration n'est pas uniquement constituée de Latinos fuyant la misère et la violence de leur pays – ceux que l'on surnomme les *wetbacks*, littéralement les «dos mouillés», parce qu'ils sont venus en traversant le Rio Grande. L'immigration américaine aujourd'hui, c'est 8,2 millions d'Asiatiques[2], dont 1 million d'Indiens et 1,5 million de Chinois en 2000 venant grossir les rangs

---

1. Voir précédents chapitres.
2. Source : US Census Bureau, décembre 2001.

des meilleures écoles, universités et bourses scolaires du pays. A New York, derrière chez moi, le Hunter College se spécialise dans les enfants à très haut potentiel académique – une école publique pour les meilleurs. Chaque matin, je voyais cette marée d'élèves traverser Park Avenue pour rejoindre leurs cours. Est-ce que deux élèves sur trois, ou trois élèves sur quatre étaient d'origine asiatique ?

L'Amérique continue d'attirer, en plus d'une main-d'œuvre abondante et pas chère, parmi les meilleurs élèves du monde entier, et en particulier ceux des puissances montantes du moment, la Chine et l'Inde. Thomas Friedman, le chroniqueur du *New York Times*, soulignait ainsi en mars 2010 que la quasi-totalité des 40 finalistes du concours Intel de sciences et mathématiques[1] étaient d'origine asiatique.

Est-ce que les Américains « de souche » – en supposant qu'une telle expression végétale ait un sens pour des êtres humains – s'offusquent de ce nouveau visage, cette nouvelle identité que semble prendre l'Amérique ? Pas du tout. Aux Etats-Unis, la question de l'identité nationale ne semble jamais se poser, contrairement à la France. Car il ne s'agit pas d'une question, mais bien d'une affirmation ! Les barrières à l'entrée sont tellement élevées, et le désir de devenir américain est si fort, que l'identité américaine devient une évidence.

Mais, en même temps que tous se sentent américains, et l'expriment sans équivoque – le drapeau, l'hymne, la

---

1. 2010 Intel Science Talent Search.

main sur le cœur -, les identités originelles sont elles aussi très affirmées.

Ainsi des Latinos, dont le prochain recensement américain, effectué en 2010, devrait révéler qu'ils sont la deuxième communauté ethnique du pays, avec 16 % de la population − devant la communauté afro-américaine, à 13-14 %. S'ils se sentent plus Mexicains, ou Guatémaltèques, Porto-Ricains ou Salvadoriens que « Latinos », ils savent en revanche se regrouper pour faire valoir leurs intérêts et peser sur la collectivité. Au Texas, le Mexican-American Legislative Caucus compte 44 membres sur les 150 élus de la Chambre des représentants. En Californie, le maire de Los Angeles est latino, tout comme son cousin, qui préside l'Assemblée législative de l'Etat. A Washington DC, la Cour suprême, plus haute juridiction du pays, compte une Latino, Mme Sotomayor, parmi ses neuf membres nommés à vie.

Les Latinos ont, en grande partie, fait élire Barack Obama contre John McCain, faisant basculer les Etats de Floride, du New Jersey, du Nouveau-Mexique et du Nevada. Leur influence ne cesse de grandir. Quoi de plus normal pour une communauté qui pourrait devenir la première communauté en Amérique, devant la communauté blanche, dès 2042 (Brookings Institute), si elle ne l'est pas déjà ?

Dans sa *Démocratie en Amérique*, Alexis de Tocqueville explique qu'« aux Etats-Unis, la patrie se fait sentir partout. Elle est un objet de sollicitude depuis le village jusqu'à l'Union entière. L'habitant s'attache à chacun des intérêts de son pays comme aux siens mêmes ».

Moins de deux siècles après cet essai, l'attachement

des Américains à leur pays semble tout aussi omniprésent. Pendant mon séjour, je l'ai vu se manifester quotidiennement, dans tous les Etats et tous les milieux.

Ainsi, le salut au drapeau, et le chant de l'hymne national, est fréquent pour ne pas dire quasi obligatoire dans de nombreuses écoles primaires.

Le drapeau américain fait l'objet d'un véritable culte. Brûler un drapeau américain, ou le salir en public, est un crime sanctionné d'amendes voire de prison dans 47 Etats[1], et ce malgré le premier amendement sur la liberté d'expression.

Dans les stades, lors d'un rassemblement sportif ou religieux, les premières notes de l'hymne américain (*The Star-Spangled Banner* – « La Bannière étoilée ») font se lever tout le public comme un seul homme. Parents et enfants en chantent les paroles, apprises par cœur depuis leur plus jeune âge, la main droite sur le cœur.

L'effet est particulièrement saisissant pour un Français de ma génération, dont la culture contemporaine tient pour acceptable que *La Marseillaise* soit sifflée plutôt que chantée dans les stades – où les gros plans télévisés sur les joueurs de notre équipe nationale suggèrent que, d'année en année, la maladie d'Alzheimer semble faire de précoces ravages sur ces champions, plus doués pour taper dans un ballon (quand on les paye suffisamment pour cela) que pour entonner les couplets de Rouget de Lisle.

---

1. Le Montana détient le record : 10 ans de prison et 50 000 $ d'amende « *on anyone convicted of mutilating, defiling or showing contempt for the U.S. flag or the Montana state flag* ».

Pour moi, la première rencontre avec ces sentiments patriotiques américains eut lieu dans un stade de football texan, à Dallas, à l'automne 2007. Les têtes d'affiche du championnat à cette époque, les Dallas Cowboys, accueillaient les Greenbay Packers du Minnesota – géographiquement et culturellement, l'équivalent d'une rencontre à Marseille entre le PSG et l'OM. Je m'attendais donc à des quolibets sur les « Ch'tis » du Minnesota, à quelques saluts nazis provenant des tribunes nord du Dallas Stadium, ou plusieurs rafales de fusils-mitrailleurs aux alentours du stade. Nous étions au cœur du Texas, pays de George W. Bush, détenteur du record américain du nombre d'exécutions capitales et d'homicides par armes à feu.

Rien de tout cela n'arriva. Tout le match se déroula dans une ambiance bon enfant, familiale – barbecues autour des pick-up, aux alentours du stade. Le seul moment de ferveur, et d'émotion forte, fut donc le chant de l'hymne national, 80 000 personnes debout, la main sur le cœur.

On a beau le savoir, le lire dans les livres ou le voir dans les films hollywoodiens : le concept même de patriotisme américain ne va pas de soi. Que peut bien signifier l'attachement à la « terre des pères » dans une terre d'immigration ? Que veut dire le mot « patrie », sachant que 31 millions d'Américains sont nés en dehors des Etats-Unis en 2000 (US Census Bureau) ?

L'attachement sans cesse renouvelé des Américains à leur patrie d'adoption constitue une dynamique puissante et bien organisée. Ainsi, toute personne désirant *acquérir* la citoyenneté américaine – car il s'agit bien d'une acquisition, qui a un coût – doit prêter serment, devant un juge et plusieurs autres prétendants à la citoyenneté américaine. Or, dans ce serment, il est clairement stipulé que le candidat à la nationalité américaine est prêt à prendre les armes, potentiellement contre son pays d'origine, si le Congrès américain le lui demande. Ce n'est pas une mince promesse, dans un pays où la valeur de la promesse et du serment est particulièrement élevée.

Pour l'Amérique du XXIe siècle, la messe est dite. Mais pas dans le sens où je l'imaginais en arrivant. Je croyais découvrir un pays exsangue, au bout de ses possibilités. Je vois au contraire une société perpétuellement rajeunie et renouvelée par ses derniers arrivants, une démographie galopante, et donc une économie qui va continuer de se développer vigoureusement. En effet, si la population américaine doit doubler ou tripler au XXIe siècle, il faudra aussi doubler, tripler ses infrastructures, ses routes, ses ponts, son parc automobile, ses vêtements, sa nourriture, le nombre de ses maisons. On estime à plus de mille milliards de dollars le niveau de la consommation des Hispaniques aux Etats-Unis en 2015[1]. Ce qui équivaut au PIB actuel de l'Inde.

C'est à Nogales, Sonora, que j'ai commencé à comprendre que les Etats-Unis resteraient encore longtemps une puissance économique de premier plan au XXIe siècle. Je devais en obtenir la confirmation 500 kilomètres plus loin, à Palo Alto, Californie. Un autre endroit ou l'Amérique ne cesse de se réinventer. Et de réinventer le monde.

---

1. Source : Hispanic Economics.

Californie

« *Work is a very necessary and good habit.* »
Devise lue à l'entrée du siège de la banque Wells Fargo
(cinquième plus grande banque américaine),
San Francisco, Montgomery Street.

Palo Alto, 29 mars 2008, 8 heures du matin

« La voiture électrique ? Mais elle était là, au coin de la rue, il y a cinquante-six ans... », me dit mon interlocuteur, une des stars françaises de la Silicon Valley. Machinalement – et assez bêtement, je dois dire – je regarde ledit coin de la rue. A travers les fenêtres du restaurant, je ne vois rien d'autre que la grande rue de Palo Alto, aussi banale et insipide que mon *diner*.

Palo Alto ! Comment imaginer que la Mecque du capital risque américain, le Saint des Saints des nouvelles technologies mondiales, le berceau de Hewlett Packard, Yahoo, Google, Cisco, etc., soit une ville aussi banale. Je m'attendais à y voir des professeurs Nimbus tous les dix mètres. Des génies de l'informatique se cognant dans les réverbères, à force d'écrire leurs nouveaux programmes en marchant. En prenant ma voiture ce matin-là, depuis le campus de Stanford, je guettais les signes extérieurs de ce temple de la créativité mondiale. Toujours la même géographie : les petites et grosses maisons en bois, colorées en bleu ou blanc, bien alignées sur des rues parfaitement rectilignes, gardées par des petits gazons verts impeccablement tondus, émaillés de clochetons d'églises sages. Pas une once de fantaisie, ni de luxe tapageur, à l'image de la maison de Steve Jobs, dont l'équivalent à Paris serait une meunière/meulière de banlieue. Palo Alto, ou le charme discret de la petite bourgeoise américaine. Une place pour chaque chose, et chaque chose à sa place.

Mon interlocuteur poursuit, un peu étonné de mon souci de vérifier ses dires. « Non, je vous assure, la voiture électrique dont nous parlons n'est toujours pas là. Tout le monde y avait pensé, avait déployé des trésors d'idées et de capitaux pour la créer dans les années 1950. Simplement, on a buté, et on bute toujours sur le même problème : la batterie. On n'est pas capables de fabriquer des batteries électriques faciles à recharger. » Et cet ancien compagnon de route de Steve Jobs de me décrire par le menu et avec forces détails les avantages comparatifs de la batterie au lithium, à l'iode, etc., et leurs limites.

Ce matin-là, mon périple californien prenait un tournant décisif, et inattendu. J'avais passé dix jours de rêve, qui confirmaient l'idée que j'avais pu me faire de la Californie lors de mes trop courts séjours professionnels[1].

---

1. Voir le chapitre 5 : « Roadshows », p. 109, de mon ouvrage *Analyste : au cœur de la folie financière, op. cit.*

Les vignes splendides de la Napa Valley. La *dolce vita* chez des amis ayant choisi de vivre à Santa Barbara, le paradis des millionnaires de la côte Ouest. Les maisons bleues – et roses – accrochées aux collines de San Francisco. Les traces du Flower Power à Berkeley, et dans les communautés hippies de Haight Ashbury, au nord de San Francisco. Les studios Universal d'Hollywood. Et, en descendant la Route 101 vers les plages du sud, une concentration extrême de voitures et de bipèdes aux carrosseries soigneusement entretenues, rehaussées avec un soin chirurgical, et parfois même un brin de vulgarité.

Un pays de carte postale. Mais, déformation professionnelle oblige, j'ai voulu aller un peu plus loin, remonter à la source de ce bonheur. En identifier les rouages essentiels. Quel meilleur endroit que la Silicon Valley, ce lieu mythique où se concentre l'une des plus puissantes universités au monde (Stanford), les financiers les plus *smart* et les plus nobles de la planète (les investisseurs en capital-risque, qui ont vocation à dénicher et faire grandir les *start-up*). Une terre d'exception, qui a vu naître et se développer Apple, Yahoo, Google, eBay, Twitter, et actuellement les entreprises leaders dans les technologies de l'énergie verte (*clean techs*).

Quel est le secret de la Silicon Valley, pointe avancée de l'économie de la Californie, cet Etat de 37 millions d'habitants qui, avec un PIB de 1 850 milliards de dollars, ferait partie du G8, les huit premières puissances économiques mondiales ? C'est ce que je suis venu chercher à Palo Alto, dans cette journée où je rencontrai, à titre personnel, une demi-douzaine de managers de ces fonds dits *venture*.

Fonds *venture*. Ne pas confondre avec fonds vautours. Il y a une assonance : elle est fortuite. Les fonds *venture* sont aux antipodes des fonds rapaces, *hedge funds* et autres espèces qu'on ne nommera pas ici. Les fonds *venture* sont des fonds exclusivement dédiés à la création ou l'accompagnement de jeunes entreprises. Leur affaire n'est pas de dépecer les entreprises ou de les pousser à la surperformance de court terme, mais bien de leur donner les moyens de se développer et d'être rentables sur le long terme.

Je rencontre donc ce matin un de ces demi-dieux de la finance. Je m'attends à des envolées stratosphériques sur les *clean techs*, l'économie du futur. Je guette la confidence sur la dernière invention qui va bouleverser l'économie des médias, l'industrie énergétique, la génétique. Et je me retrouve à discuter de la taille des vis, des écrous, et des saumâtres liquides à mettre dans une batterie de bagnole.

J'essaie d'élever le débat. « La révolution verte, tout de même... les panneaux solaires... la biomasse... vous y consacrez combien de dizaines de millions ? Car c'est l'avenir, n'est-ce pas ? » Il me regarde avec une moue goguenarde. « Vous savez, cela fait trente ans que je fais ce métier, pour les fonds, pour les plus grandes sociétés informatiques de la Vallée. Je retiens une chose : il n'y a que le marché qui décide si votre produit est un bon produit, ou pas. Le marché, et pas le gouvernement, aussi intelligent soit-il. Pour moi, le kilowatt-heure subventionné, les éoliennes qui produisent de l'électricité vingt fois plus cher que les centrales à charbon, j'ai du mal à adhérer à ce *business model*. Qu'est-ce que vous faites de vos éoliennes, le jour où les gouvernements n'ont plus d'argent ?» Visionnaire, mon interlocuteur : nous étions six mois avant la faillite de Lehman Brothers, qui allait obliger à des compressions budgétaires dans le monde entier.

Leçon numéro 1 de Palo Alto : *no nonsense*. Ne pas se raconter d'histoires. Revenir sans cesse sur terre. «Lorsqu'on a les pieds sur terre, et la tête dans les étoiles, on est très grand», me dit un jour un patron français, qui approche le double mètre.

Je quitte mon interlocuteur, un peu déçu, et reprends ma voiture dans le parking découvert, en hauteur, à 5 dollars de l'heure, du City Hall de Palo Alto. Les pieds sur terre, d'accord. Mais où est le rêve ? Où sont les étoiles ?

Les cinq entretiens qui suivirent ne firent que renforcer cette première impression. Tenu à une confidentialité sur l'identité des fonds visités ce jour-là, j'indiquerai simplement que sans ces firmes, Yahoo et Google n'existeraient probablement pas aujourd'hui. Car il ne suffit pas d'avoir une bonne idée et de l'argent, ce qui est assez largement répandu[1].

La vraie rareté est, en fait, dans ce mot que j'abhorre, et qui n'a pas cessé de m'accompagner aux Etats-Unis, depuis ma formation avec Carmen : le *process*. Intraduisible. La procédure, le mode opératoire, l'exécution. «Quand un créateur d'entreprise vient présenter ses

---

1. Il existe 1 011 milliardaires en dollars dans le monde, d'après le magazine *Forbes*. Le seul concours Lépine français enregistre plus de 500 dossiers d'inventions chaque année.

idées, on ne lui demande pas son CV − on s'en fout. On ne lui demande même pas s'il a des fonds − on les trouvera pour lui. On lui demande simplement deux choses : *"does it work ?"* et *"does it sell ?"*. Si le produit fonctionne, et qu'il se vend, ou qu'il peut trouver un marché, alors on regarde », me dit ce *venture capitalist* américain (VC, prononcer vici) abrasif qui a tout de même pris la peine de me recevoir pendant dix-huit minutes.

Il n'y a pas de rêve éthéré dans la Silicon Valley, ni en Californie, ni en Amérique. Le rêve, c'est la réalité qui fonctionne, ici-bas, *hic et nunc*. Pour y arriver, il faut de la discipline, du pragmatisme, des efforts. Il faut échouer plusieurs fois avant de réussir. Quatre des six investisseurs rencontrés m'ont confirmé que pour eux, un créateur d'entreprises qui n'avait pas déjà échoué était suspect. Le héros de la Silicon Valley, ce n'est pas le génie qui trouve d'un coup la pierre philosophale ; c'est au contraire le *serial entrepreneur* qui ne cesse d'entreprendre et d'innover, et passe la moitié de son temps à échouer, l'autre moitié à réussir.

John F. Kennedy a eu cette phrase, récupérée depuis par une marque de montres, mais si américaine et si californienne − prononcée à la NASA, voisine de Palo Alto : « *We choose to go to the moon.* » Pour aller sur la lune, on s'organise.

Le miracle californien, et au fond le miracle de l'Amérique, commence ici : le *hard work*. Les hippies, eux, ont été rayés de la carte. Je les ai cherchés, le long du Shoreline Highway, au nord de San Francisco. J'en ai vu quelques grappes fatiguées et bien mûres, échouées dans le village de Bolinas, entretenant la flamme du Flower

Power et du psychédélisme, tout en surfant sur leur iPod à 299 dollars. On ne peut pas parler de communautés florissantes, mais plutôt d'espèces en voie de disparition. L'âpreté au travail, et aussi le goût prononcé pour le changement. Dans toutes les firmes de capital-risque que j'ai rencontrées à Palo Alto, le mot fétiche c'est le changement. La remise en cause permanente. « Votre idée est-elle vraiment révolutionnaire – *disruptive* ? Où se trouve la rupture, dans votre nouveau service ? » Telles sont les questions posées par ces fonds aux entrepreneurs. S'il n'y a pas rupture, s'il y a seulement continuation de l'existant, passez votre chemin.

Le changement comme leitmotiv se traduit dans les portefeuilles de ces fonds d'investissements, sans cesse renouvelés : après avoir déniché les futurs stars de l'informatique dans les années 1980 (Apple, Sun, etc.), ils ont réinvesti leurs gains dans les futurs stars de l'internet (Google, Yahoo), avant de les risquer dans les *clean techs*, les énergies renouvelables, l'économie verte. En vingt ans, ces firmes sont passées des microprocesseurs aux panneaux solaires, anticipant sans cesse la demande future, et concrétisant les progrès technologiques.

Les fruits de cette capacité à se réinventer, de cette rigueur méthodologique et de ce darwinisme assumé, sont nombreux. Par où commencer ? L'iPod ? Google ? Craigslist ? Les microprocesseurs ? Facebook ? Twitter ? Electronic Arts, PayPal ? Intel, Cisco, Disney, eBay, MySpace, YouTube ? Et demain, parlera-t-on davantage des champions de la voiture électrique, Tesla et Better Place, ou des panneaux solaires de SunPower Corp, et de ses concurrents Solar City, Nanosolar, etc. ?

Pour inventer les technologies du futur, et contribuer de manière assez décisive à changer le mode de vie des habitants de la planète, la Silicon Valley s'appuie d'abord sur une discipline de fer. Et sur la sanction immédiate du marché de la consommation. Pour écrire l'avenir, interdit de se raconter des histoires.

J'ai eu la preuve ultime de cette âpreté et de cette dureté, seulement quelques jours après la faillite de Lehman Brothers, en octobre 2008. Un de mes contacts californiens m'envoie une présentation du fonds Sequoia Capital, qui réunissait le 9 octobre 2008 une centaine de dirigeants d'entreprises dans lesquelles ce fonds était actionnaire[1]. L'objectif de la réunion était de donner des recommandations aux entreprises, pour qu'elles s'adaptent au nouvel environnement. J'ouvre la présentation Power Point de ce fonds, certain d'y retrouver des recommandations de bon sens, une prudence de bon aloi, « la chasse au gaspi » des années Giscard, version 2008.

Clic. La page de couverture a tout de suite donné le ton. A défaut d'un majestueux séquoia sur fond de ciel bleu californien, s'affiche une énorme pierre tombale sur un ciel lugubre, affublée d'un crâne inquiétant, et d'une devise en lettres rouges : « *R.I.P. good times* ». « Ci-gît le bon temps ». Ou la Belle Epoque, comme on désignait les années 1920 dans les années 1930.

Suit une explication particulièrement pertinente des causes et des conséquences de la crise financière, pour aboutir à une première série de recommandations :

---

1. Parmi les jeunes pousses financées par ce fonds, on identifie Apple (1978), Google (1999), Yahoo (1995), YouTube (2005).

« *manage what you can control* ». La crise sera longue, certains paramètres ne sont pas dans vos mains (la demande des consommateurs), donc agissez là où vous avez prise : le contrôle des coûts, la qualité de vos produits, le niveau de la dette, etc.

Jusque-là, tout va bien. C'est à partir de la *slide* 42 que les choses se gâtent, et que le message se fait plus percutant. « *Recovery will be long* ». En attendant que la croissance revienne, que faire ? Eviter à tout prix la *death spiral*, la spirale de mort : les entreprises n'ayant pas ajusté leurs coûts suffisamment vite, brûlant donc leur cash trop rapidement, ne pourront pas survivre à la longueur de la crise, et disparaîtront. Comment organiser la survie ? La réponse est assez éloignée de celle que l'on pouvait expérimenter en France à l'automne 2008. Il n'est pas question ici de manifester « contre la crise », de saccager des services publics, ou de séquestrer un directeur d'usine pour demander une augmentation de salaire ou des subventions d'Etat. Non, la réponse est typiquement californienne. Enthousiaste et violente à la fois :

— « *Cuts are a must* » : couper les coûts, il n'y a pas mieux.

— « Si votre produit est déjà lancé, avez-vous encore besoin de tous les ingénieurs qui l'ont construit ? »

— « Votre objectif n'est plus la croissance, mais la survie… *make changes, slash expenses, cut deep and keep marching.* »

— « Vous pensez avoir coupé tous les coûts possibles ? Coupez plus profond (*cut deeper*) ! »

— Et le mot de la fin : «*get real or go home*». Si vous ne pouvez pas regarder la réalité en face, et agir dessus, il est préférable de rentrer à la maison (sous-entendu : de retraite).

Bienvenue chez les poètes. En Californie, comme partout ailleurs en Amérique, on agit immédiatement pour inverser une mauvaise tendance, car il n'y a pas de filet de sécurité sur lequel se reposer en cas d'échec. Il faut tout mettre en œuvre pour survivre, et par ses propres moyens. La «faute à pas de chance» a disparu de l'équation. Rien à attendre ni espérer de la part du voisin, de la mairie, des pouvoirs publics.

Quel est le résultat de ce darwinisme ? Un miracle économique permanent, et sans cesse renouvelé. Deux ans après la faillite de Lehman Brothers, la Silicon Valley est plus vivante que jamais. Elle a non seulement survécu, mais est sortie renforcée d'une crise de liquidités qui aurait pu l'engloutir tout entière : «*survival of the fittest*».

La Silicon Valley n'est pas un exemple isolé ou une exception. D'une certaine façon, toute la Californie incarne ce darwinisme et cette capacité à se réinventer. Deux autres exemples illustrent clairement cette réalité : la gestion de l'Etat de Californie, et Hollywood.

Pendant mes trois années en Amérique, l'Etat de Californie était systématiquement présenté comme au bord de la faillite. Taux de chômage supérieur à la moyenne nationale, effondrement du marché immobilier (c'est en Californie que sont nés les *subprimes* et qu'ils se sont le plus développés), paupérisation rapide des villes de la Vallée centrale, immigration hors de tout

contrôle, niveau d'imposition excessif, etc. Les maux de
la Californie se résumaient dans ses déséquilibres budgétaires, jugés abyssaux aux Etats-Unis. Ainsi, début 2010,
le déficit budgétaire 2009, estimé à moins de 7 milliards
de dollars six mois plus tôt, s'approchait des 20 milliards
de dollars. Il fallait agir, et vite, sinon il en allait de la
survie de la Californie, dont le PIB de 1 850 milliards de
dollars et la population de 38 millions d'habitants ferait
d'elle la huitième puissance économique mondiale, trois
places derrière la France.

Au même moment, la France publiait son déficit 2009 :
138 milliards d'euros. Converti en dollars, ce déficit est
environ dix fois supérieur à celui de l'Etat californien. Or,
ce n'est pas en France mais en Californie que les mesures
les plus radicales et les plus violentes ont été prises. Un
contraste d'autant plus saisissant que la Californie, *in fine*,
sait pouvoir compter sur l'aide de la Réserve fédérale
américaine. Alors que la France, comme tout autre pays
de l'Union européenne, n'est pas assurée qu'en cas de
difficultés financières, elle puisse compter sur la BCE
de Francfort.

Parmi les mesures radicales prises par le gouverneur
Schwarzenegger, citons : la réduction des salaires des
fonctionnaires de 5 % (après de nombreux plans de
réduction dans les années précédentes) ; des coupes
sombres dans différents budgets sociaux, en particulier
l'aide aux malades, aux familles, aux chômeurs[1] ; des

---

1. En particulier, Arnold Schwarzenneger proposait de supprimer un
milliard de dollars en allocations familiales, et un programme de 126 millions
de dollars pour la couverture médicale d'enfants de familles pauvres.

réductions d'effectifs et des moyens drastiques dans les différentes administrations de l'Etat (après avoir licencié 735 000 fonctionnaires en la seule année 2009).

En revanche, deux domaines sont sanctuarisés : l'enseignement supérieur et la recherche, Schwarzenegger allant même jusqu'à proposer un amendement constitutionnel selon lequel l'Etat de Californie serait *ad vitam aeternam* obligé de consacrer aux universités au moins 10 % des recettes fiscales annuelles de l'Etat. Le message et la volonté politiques sont clairs : pour préparer l'avenir, celui de ses enfants, la Californie sacrifie son confort présent. Les Californiens ont ainsi souscrit en masse à une obligation d'Etat, ciblée sur les recherches sur cellules souches, la Stem Cell Initiative, qui va investir 3 milliards de dollars sur dix ans, dans ce domaine clé pour la recherche scientifique et le progrès médical.

Remettre en cause ses acquis présents, pour parier sur l'avenir. Profiter de la crise du moment, pour mieux se remettre en cause et progresser : la Californie est aussi en avance sur les questions énergétiques (énergies renouvelables et économies d'énergie) parce qu'elle a connu une grave crise énergétique dans les années 1970, la forçant à couper sa consommation et à trouver des sources d'énergie alternatives.

Aptitude et goût pour le changement. Esprit de liberté et esprit d'entreprise. Pour toutes ces raisons, la Californie continue encore aujourd'hui d'être en avance sur l'Amérique et sur le monde, technologiquement, économiquement. Et même culturellement. Hollywood en est un exemple assez parfait. Malgré l'image sérieusement dégradée de l'Amérique sous la présidence

Bush, on n'a jamais autant consommé de cinéma américain dans le monde. D'après MPA Nielsen, les ventes de films américains à l'étranger sont ainsi passées de 20 à 27 milliards de dollars depuis 2003. *Avatar*, le dernier *blockbuster* de 2010, a généré plus de 3 milliards de dollars de chiffre d'affaires. L'équivalent de 10 Airbus A380. Qualitativement, l'apport des films d'Hollywood à la culture mondiale mériterait d'être débattu ; mais quantitativement, le succès économique et en termes d'influence culturelle est indéniable.

Qu'est-ce qui pourrait enrayer cette formidable machine de guerre économique qu'est la Californie ? En 2010, les succès d'Hollywood, d'Apple, les stratégies offensives de Google envoient deux messages au reste du monde : d'abord, la Californie reste cette pointe avancée de la réussite économique américaine, qui continue d'attirer les capitaux et les cerveaux en abondance ; ensuite, la Californie, dans ses forces vives, ne semble guère embarrassée par le poids de son surendettement. Les articles de journaux ont beau annoncer sans relâche, depuis des décennies, que la Californie va faire faillite, rien n'y fait : elle avance à toute vitesse.

Comme si cette dette n'existait pas, ou n'était pas un problème : l'Etat de Californie sait qu'il peut compter, en cas d'ultime recours, sur le soutien du gouvernement et de la Banque fédérale à Washington DC. Si le miracle californien dépend de la santé de la capitale fédérale, il convient d'aller y faire un tour.

Washington DC

«Deux choses sont importantes en politique.
La première, c'est l'argent. La seconde, je ne
m'en souviens plus.»

MARK HANNA, «faiseur de rois»
du Parti républicain au XIXᵉ siècle.

Le soir du 4 novembre 2008

J'ai attendu plus d'un an avant d'aller à Washington
DC. Je voulais réserver cette visite pour une occasion
spéciale. Elle fut historique : c'était la nuit du 4 novembre
2008, pendant laquelle Barack Obama a été déclaré
vainqueur des élections présidentielles.

Ce soir-là, j'étais dans la capitale américaine, invité par
un petit groupe de parlementaires français ayant noué,
dès 2004, des relations avec «les gens de Chicago», désignant ainsi l'entourage de Barack Obama.

Au fur et à mesure des fermetures de bureaux de vote,
l'improbable se dessinait : l'Amérique choisissait comme
président un parfait inconnu quatre ans plus tôt, le fils

métis d'une Américaine du Kansas et d'un Kenyan de passage en Amérique. Comme si le prochain président de la République française, née d'une mère auvergnate et d'un père éthiopien volage, émergeait sur la scène politique quatre ans avant l'élection.

Sur son seul charisme, et une utilisation optimale de la puissance des réseaux sociaux pour financer sa campagne et créer des mouvements d'adhésion populaires et non institutionnels, Barack Obama réussit l'impossible : prendre le Parti démocrate au nez et à la barbe des Clinton. Comme si, en France, un quadra issu de l'immigration écrasait les sexagénaires caciques du Parti socialiste français dans les primaires de 2011, avant de gagner les élections présidentielles. C'est dire le caractère inouï de l'élection d'Obama, signe et facteur de l'exceptionnelle vitalité démocratique américaine.

Autour de moi, la joie le disputait à l'incrédulité. Cette victoire n'est-elle pas trop belle pour être vraie ? Ne va-t-on pas vivre, comme en 2000, le hold-up de l'élection par des républicains bien organisés dans un *swing state*, tel que la Floride ?

Les Etats tombent, les uns après les autres. A 22 heures, il n'y a plus de doute possible. Barack Obama, sénateur « junior » élu sur une seule promesse – le changement –, devient le 44e président des Etats-Unis d'Amérique.

Nous sortons du restaurant où nous avait réunis « Mr. Bob », redoutable lobbyiste démocrate, connaissant Washington comme sa poche, pour y avoir défendu âprement les intérêts de ses clients (restaurateurs, hôteliers, routiers) au Congrès et au Sénat, pendant des décennies. Mr. Bob avait choisi tous les vins, et nous laissa régler l'addition : deux cents dollars par personne. Cela faisait cher le plat de spaghettis et le chianti. Mais nous étions chez l'un des électeurs et mandants de Mr. Bob : il fallait donc le soutenir, et pas uniquement par des mots. Le Parti démocrate en Amérique repose aussi sur le soutien politiquement indéfectible, mais financièrement et éthiquement coûteux, de syndicats bien organisés.

Je demande à un des participants au dîner, Thierry, ce qu'il pense de Barack Obama. Il l'avait rencontré ainsi que Joe Biden en 2004 autour de la Convention démocrate de Chicago, mais dans la parfaite indifférence de son parti en France, trop occupé à s'entre-déchirer sur des questions de personnes. Le trop-plein de candidatures servant de palliatif au vide des idées.

« C'est un être supérieur. Tu en connais beaucoup, toi, des avocats formés à Columbia, qui plaquent tout pour devenir assistant social dans une banlieue pourrie de Chicago, pour 1 000 dollars par mois, avant de devenir président de la *Harvard Law Review* ? Tu imagines l'équivalent en France ? Un sciences-po qui irait faire l'animateur de quartier à Aubervilliers, avant de sortir major de l'ENA ? Cet homme-là est aujourd'hui président des Etats-Unis. Quelle promesse ! Il va aider l'Amérique à rompre avec ce qu'elle a de pire : l'idolâtrie de l'argent. »

Ce soir-là, nous y avions tous cru, et moi le premier. Même les plus indécrottables sceptiques autour de la table pensaient que Barack Obama allait opérer une vraie révolution. Les comparaisons le rapprochaient de Franklin Roosevelt, élu en pleine Grande Dépression, d'Abraham Lincoln, vainqueur de la Guerre civile, et de John Kennedy.

En sortant dans la rue, la liesse était immense. Une foule bigarrée, de tous âges, races et confessions, venait se mêler sur Pennsylvania Avenue, tout près de la Maison-Blanche. « On s'en fout de la Maison-Blanche ! Allons dans les ghettos noirs, leur dire que nous sommes tous frères ! » La suggestion d'Olivier, un peu grisé par l'événement et le chianti, ne fut pas retenue.

Devant la Maison-Blanche, l'atmosphère était à la joie et aux bons sentiments. Aucun quolibet vengeur contre George W. Bush. Pas de déclarations languissantes sur une Amérique passée de la nuit à la lumière. L'Amérique venait d'opérer en douceur une alternance politique majeure, alors même qu'elle livrait deux guerres à des milliers de kilomètres de ses frontières. Et qu'elle affrontait sa pire crise économique et financière depuis 1929.

Ce soir-là, 4 novembre 2008, 131 millions de personnes étaient allées voter. Un taux de participation record, jamais vu en un siècle. A part l'Inde et son milliard d'habitants, existe-t-il une autre démocratie au monde capable d'attirer autant d'électeurs à une élection présidentielle ?

Mon premier contact avec Washington DC me persuadait de la vitalité démocratique américaine, capable d'opérer des changements de direction majeurs, des renouvellements de personnels politiques, difficiles à imaginer pour un Français habitué aux psychodrames politiques – sinon dans la vie réelle, en tout cas dans les médias.

Je suis revenu souvent à Washington, après ce soir-là.

La ville était devenue pour moi une vitrine quasi parfaite de la démocratie américaine. Sa géographie symbolise l'équilibre et la hiérarchie des pouvoirs. A Washington DC, l'édifice le plus important n'est pas la Maison-Blanche – masquée par les arbres et accolée au Trésor américain, bâtiment plus solennel – mais le Parlement. Le Capitole, perché à 88 mètres de hauteur sur une colline, domine symboliquement et dans les faits tout l'exécutif américain et les principaux ministères, regroupés autour de la grande pelouse – le Mall. Derrière le Capitole, juste au-dessus de lui, mais peu visible, trône la Cour suprême, les neuf juges nommés à vie, faisant office de gardiens et d'interprètes de la Constitution américaine. En France, ce serait le Conseil d'Etat, la Cour de cassation et le Conseil constitutionnel réunis en une seule institution.

La géographie comme la réalité du pouvoir à Washington sont sans équivoque : l'exécutif, élu indirectement par le peuple, ne peut rien faire sans l'accord du Parlement, composé d'élus directs du peuple ; et le Parlement légifère sous le contrôle du pouvoir judiciaire. Fermez le ban. Montesquieu l'a écrit, la démocratie américaine l'a fait. Washington DC, ce concentré de puissance d'Etat, se veut un appareil d'autant plus efficace que personne, absolument personne, ne concentre tous les pouvoirs. Le système est celui des *checks and balances*. Chaque pouvoir a son contre-pouvoir, obligeant à la recherche permanente de l'équilibre. Ainsi, le Président américain, s'il veut avoir un rôle politique actif, doit consacrer une grande partie sinon l'essentiel de son temps à composer avec le Parlement. Ce qui est une chose totalement inimaginable notamment en France, où institutions et pratiques semblent avoir réduit le Parlement à une chambre d'enregistrement de décisions prises à quelques-uns, dans les coulisses d'un parti majoritaire unique. Autre symbole de cette suprématie parlementaire, les auditions, publiques et largement diffusées, des éventuels futurs responsables gouvernementaux. Des confrontations âpres, détaillées, laissant les futurs ministres et secrétaires d'Etat à genoux, avec leur histoire personnelle et leur patrimoine financier à livre ouvert. L'équivalent est-il seulement imaginable dans nos démocraties latines ?

Telles furent mes premières impressions sur la capitale de la démocratie américaine : un modèle au-dessus de tout soupçon, au-delà de tout reproche.

Exactement un an après l'investiture de Barack Obama, cette image d'Epinal fut sérieusement écornée.

Happy birthday, Mr. President !

En me réveillant le 21 janvier 2010, j'essayais d'imaginer le monologue intérieur de Barack Obama, qui fêtait sa première année à la Maison-Blanche.

J'ai 48 ans, je suis le premier président noir de la première puissance mondiale. Pour la première année de mon mandat présidentiel, je ne suis pas peu fier de mes succès. Après avoir hérité d'une crise économique et financière jamais vue depuis 1929, de deux guerres, dont l'une reposait sur un mensonge d'Etat, et de l'hostilité d'à peu près toutes les opinions publiques mondiales vis-à-vis des Etats-Unis de George W. Bush, je n'ai pas chômé ! Stabilisation de l'économie et de la finance américaines. Discours du Caire, unanimement salué, pour me réconcilier avec le monde musulman. Renforcement du nécessaire effort de guerre en Irak — malgré le surréaliste prix Nobel qu'on m'a infligé, moi qui commande la première armée du monde ! Et, last but not least, *un projet de loi pour donner aux Américains une couverture maladie universelle — et améliorer un système de santé qui demeure l'un des plus coûteux et des moins efficaces au monde.*

Qui dit mieux ? J'ouvre les journaux et la télévision, sûr de lire et d'entendre des hommages répétés, presque gênants, à mon endroit.

Patatras. Le 21 janvier 2010, un an exactement après son élection à la présidence, Barack Obama a dû prendre acte des éléments suivants :

— La veille, un parfait *nobody* — en américain, cela s'écrit «*everyman*», Scott Brown, républicain de son Etat, le Massachusetts, remportait haut la main le siège indétrônable de feu Ted Kennedy, un bastion démocrate. Dans son clip de campagne, Scott Brown se présentait de la façon suivante : «Je m'appelle Scott Brown, et voici… mon pick-up (*sic*).» Zoom sur le pick-up fabriqué par General Motors : 200 000 *miles* au compteur. Tout de même 380 000 kilomètres ! Face à un argumentaire électoral aussi implacable, le résultat ne se fit pas attendre : 52 % des voix. un coup terrible pour les démocrates, qui perdaient ainsi une forme de majorité absolue de 60 sièges leur permettant de neutraliser les obstructions de l'opposition[1]. La Bourse salua la nouvelle à sa manière, faisant s'envoler les cours des actions des laboratoires pharmaceutiques et des hôpitaux privés, pariant qu'avec ce siège perdu, les démocrates ne pourraient pas passer leur loi sur la couverture maladie universelle. Les hôpitaux privés de HCA[2] pourraient donc continuer de marger plus de 3 000 $ par patient et par jour, aussi longtemps que possible.

— Le jour même, Goldman Sachs, la boîte noire de la finance mondiale, annonçait des records historiques de profits et de rémunérations. Le *Wall Street Journal* avait estimé trois jours plus tôt que les principales banques américaines verseraient en 2010 cent cinquante milliards de dollars de bonus à leurs employés. Le chantage à la faillite avait payé : après avoir mis par terre le système bancaire mondial, et fait les poches des contribuables américains, les apôtres zélés du *fuck-you capitalism* connaissaient leur heure de gloire. Pas facile à encaisser pour l'ancien animateur de quartier des banlieues pauvres de Chicago, élu Président sur un mandat de changement.

— Commandés pour marquer ce premier anniversaire,

---

1. En dessous de 60 sièges, l'opposition peut «pirater» (*filibuster*) ou prendre en otage un vote, notamment en demandant la parole pour débattre, littéralement sans s'arrêter : le record est détenu par le sénateur Thurmond qui parla sans discontinuer pendant 24 heures et 18 minutes pour bloquer le Civil Rights Act de 1957.

2. Voir *supra* le chapitre «Upper West Side, New York : le Bon Samaritain».

les sondages se révélèrent tous plus désastreux les uns que les autres : à peine 38 % d'opinions positives pour les démocrates (sondage CNBC), et, symboliquement, le taux d'opinions positives sur Barack Obama devenait minoritaire à 49 %. Les opinions négatives étaient de 13 % le jour de l'inauguration. Ce 21 janvier 2010, elles avaient plus que triplé : 45 % (source : Gallup).

N'en jetez plus ? C'était sans compter sur la Cour suprême, qui donna le coup de grâce dans l'après-midi, en rendant un arrêt qui fera date : l'arrêt Citizen United *vs* Federal Election Commission. Cassant un siècle de jurisprudence allant dans le sens contraire, la Cour suprême des Etats-Unis, les « sages » de la République américaine, décidèrent, par cinq voix contre quatre, de supprimer toute forme de limite au financement direct des campagnes électorales par les entreprises américaines.

Traduction concrète : désormais, n'importe quelle organisation privée – par exemple et au hasard, les marchands d'armes, d'alcool, de médicaments, les banques d'affaires, les casinos, enfin, n'importe quelle organisation humaine ayant vocation à faire du profit – pourra sponsoriser le(s) candidat(s) de son choix, aux élections qu'il voudra : sénatoriales, présidentielles, locales, municipales, etc.

No limit. Cela veut dire concrètement que les financements de campagnes électorales seront désormais illimités dans leurs montants et dans le temps : jusqu'à la dernière seconde avant la fermeture des bureaux de vote, vous pouvez démolir votre adversaire à coups de publicités négatives, ou offrir sandwiches, boissons fraîches, gadgets en tous genres – et pourquoi pas de l'argent, tout simplement ? – aux électeurs indécis.

Comment la Cour suprême a-t-elle pu en arriver là ? Les neuf juges suprêmes, gardiens de la plus vieille constitution démocratique au monde, se seraient-ils fait acheter par la Corporate America ?

Le blasphème n'est pas totalement improbable, si on veut bien examiner d'un peu plus près l'autre réalité de Washington DC. Celle qui ne se voit pas dans l'agencement parfait des monuments, mais qui se lit dans les chiffres et rapports annuels d'institutions telles que le Center for Responsive Politics.

Le Dark Side de Washington DC –
et de la démocratie américaine

L'argent règne en maitre absolu à Washington DC. Il achète absolument tout, à commencer par les lois, les hommes de lois et les hommes tout court. Il a ses *dealers* : en américain, cela s'appelle des lobbyistes, c'est-à-dire des officines privées, rémunérées en toute transparence par des entreprises, des syndicats professionnels et diverses organisations voulant faire passer leurs intérêts privés avant ceux des autres. *Fair enough.*

Il y a plusieurs façons de faire respecter ses droits dans la démocratie américaine. L'une des voies les plus directes est d'acheter le Président. Ainsi, en 2008, plus de six milliards de dollars auront été dépensés pour élire Barack Obama, dont un milliard provenant directement de ces officines privées.

Après avoir acheté l'élection présidentielle, il convient d'acheter sénateurs et *congressmen* pour bloquer et faire passer les lois souhaitées. Problème : ils sont nombreux (100 sénateurs et 435 représentants au Congrès). Les dernières élections de 2008 au Sénat et au Congrès ont donc représenté un budget de respectivement 500 millions et un milliard de dollars pour les organisations privées américaines.

Mais l'investissement ne se limite pas aux élections : il est capital d'assurer ensuite la maintenance, le suivi et le service après-vente de la prestation. Lorsque le Président, les sénateurs et les congressistes sont élus, les lobbyistes doivent faire en sorte que les lois votées vont bien dans le sens de l'intérêt commercial de leurs clients, plutôt que l'intérêt général du pays. Ainsi, pour la première année de la présidence Obama, deux industries ont accompli un effort commercial tout à fait remarquable : la finance (464 millions de dollars – finance, assurances et immobilier) et les industriels de la santé (539 millions de dollars). Au total, les lobbies à Washington auront connu une année 2009 record, générant 3,5 milliards de dollars de revenus.

Au goût de certains, ces chiffres devaient sembler bien modestes, étriqués même. L'arrêt de la Cour suprême du 21 janvier 2010 va-t-il doubler, tripler ou multiplier par dix ces montants ? Le jour où l'élection présidentielle américaine générera 100 milliards de dollars de dépenses, approchera-t-on enfin le juste prix de la démocratie ?

Le pouvoir judiciaire suprême, qui est donc à l'origine de cette future envolée des prix en politique, est-il lui-même à l'abri de ce qu'il convient désormais d'appeler un système généralisé, et parfaitement accepté, de corruption légale ? Rappelons la théorie, aussi belle que le phrasé de la Constitution américaine : les neuf sages de la Cour suprême, passés au crible des auditions parlementaires, ne sauraient être ni corrompus ni corruptibles.

En pratique, on soulignera cependant que ces auditions parlementaires sont conduites par des parlementaires ayant eux-mêmes acheté leurs campagnes électorales et donc leurs mandats au prix fort. Enfin, et surtout, on rappellera une originalité du système judiciaire américain : les juges doivent eux aussi se faire élire, et financer leurs campagnes électorales, pour pouvoir siéger dans leurs juridictions !

Entre 2000 et 2009, 22 Etats avaient organisé des *competitive elections* pour renouveler la composition des cours suprêmes de chacun de ces Etats. Montant de la facture − là encore réglée par des intérêts privés : 207 millions de dollars[1] ! Deux fois plus que la décennie précédente. La Justice n'a pas de prix. Sauf aux Etats-Unis.

La Cour Suprême américaine,
ou le fétichisme constitutionnel

Ces petits rappels mis à part, il faut rendre à la Cour suprême américaine ce qui lui revient : son arrêt Citizen United du 21 janvier 2010 est impeccablement rédigé.

Inattaquable : nous avons affaire aux meilleurs professionnels du droit de la nation la plus judiciarisée au

---

1. Source : Justice at Stake, cité par le *New York Times*, 22 janvier 2010.

monde. Le texte ne se perd pas en considérations basse-
ment mercantiles, ou en principes pro-*business* un peu
trop affichés. Non, il va chercher rien de moins que le
premier amendement de la Constitution américaine, qui
défend... la liberté d'expression ! « Au nom du droit
sacré à la liberté d'expression, les entreprises privées
américaines peuvent désormais corrompre sans limite
leurs élus – à la stricte condition que tout soit transparent. » Voilà ce que dit en substance l'arrêt rendu par le
Chief Justice John G. Roberts Jr., nommé à vie, à l'âge
de 49 ans, en 2005, par un certain George W. Bush.

Un peu décontenancé, je demande à mes correspon-
dants dans les *think tanks* washingtoniens le lien entre
corruption publique et expression publique.

« C'est très simple, Edouard, me dit Mike, avocat
constitutionnaliste : aux Etats-Unis, l'argent est une
forme d'expression. – *Money is a form of speech.* Aux Etats-
Unis, tu es libre de dire et d'exprimer ce que tu veux. Tu
es donc libre de financer tout l'argent que tu veux derrière toutes les formes d'expressions publiques que tu
veux. Vous, les Français, vous êtes obligés de demander
des fonds publics pour pouvoir financer vos campagnes
électorales ! Vous mettez votre démocratie dans les
mains de votre gouvernement ! *Are you crazy ?* » Et Mike,
libertarien affiché, de comparer la France au dernier pays
communiste du monde, avec la Corée du Nord, la
Chine et Cuba. *Sic transit.* Il fallait y penser.

Sans aller jusqu'à juger ses voisins, un Français vou-
drait tout de même bien comprendre comment la plus
ancienne démocratie au monde a pu en arriver là :
confondre liberté d'expression et liberté de corruption.

Mettre sur le même niveau la parole libre et l'argent qui oblige.

Cette « liberté d'expression » est en fait la liberté de parler aussi fort et aussi longtemps que vous le souhaitez, selon que vous ayez du coffre ou non. La compétition démocratique aux Etats-Unis ne va pas distinguer celui qui parle le plus juste sur les différents sujets d'intérêt général, mais celui qui parle le plus fort, grâce aux intérêts privés qu'il a pu fédérer derrière lui.

Faut-il donc se résigner à voir dans l'Amérique une puissance bientôt totalement corrompue, aux mains des intérêts privés les plus argentés ? Le prochain président des Etats-Unis sera-t-il un président Goldman Sachs ou JPMorgan ? Un président Google ou Microsoft ? Un président Boeing ou Lockheed-Martin ? Exxon Mobil ou Texaco ? Et pourquoi se limiter aux entreprises américaines ? Lorsque Gazprom, la People Bank of China, tel conglomérat industriel israélien ou tel fonds souverain moyen-oriental auront racheté un de leurs pairs américains, pourquoi n'auraient-ils pas, eux non plus, le droit de se payer le président des Etats-Unis d'Amérique ? « Messieurs Poutine, Jintao, Netanyahu, faites vos jeux. »

Après 2012 : vers une seconde révolution américaine — ou un nouveau Franklin D. Roosevelt

Est-ce que la démocratie américaine pourra survivre aux conséquences de cette décision inouïe, parfaitement incompréhensible pour un Européen — et pour un grand nombre d'Américains eux-mêmes ? Est-ce

que Washington DC va devenir un Disneyland démocratique : un superbe décor en carton-pâte, des textes et
des principes nobles et irréprochables, pendant que les
vraies affaires et les vraies décisions se décideront dans le
huis clos de quelques conseils d'administrations, qui
s'attribueront entre eux les différents marchés électo-
raux ? Bienvenue en Amérique, le pays qui a légalisé la
corruption ?

Je n'enterrerais pas trop vite la démocratie américaine.
Certes, elle est prisonnière d'une Constitution fétichisée,
d'une Cour suprême sans contre-pouvoir, instaurant un
véritable gouvernement des juges. N'est-ce pas la Cour
suprême qui a *in fine* choisi George W. Bush comme
Président, contre Al Gore, en validant les élections probablement truquées de Floride[1]. La nouvelle Cour
suprême dirigée par ce juge Roberts est encore plus
inquiétante. Dans mes trois années américaines, elle aura,
entre autres faits d'armes : divisé par dix (de 5 milliards de
dollars à 500 millions) l'amende qu'Exxon Mobil devait
payer au titre de la marée noire d'Exxon Valdez, dans
l'Alaska en 1989 (40 millions de litres de pétrole déversés
sur 3 400 kilomètres carrés d'océan) ; entériné le droit de

---

1. Lors des élections de 2000, l'écart entre George W. Bush et Al Gore
n'est que de quelques centaines de voix en Floride. Les avocats d'Al Gore
obtiennent de la cour suprême de Floride un nouveau recomptage manuel
dans trois comtés. Après un premier avertissement à la cour suprême de
Floride sur le dépassement de ses prérogatives, la Cour suprême des Etats-
Unis (dont sept juges sur neuf ont été nommés par des présidents républicains)
finit par annuler par l'arrêt Bush *vs* Gore l'ultime recomptage manuel des voix
en Floride, jugé illégal par cinq voix contre quatre. George W. Bush est
finalement désigné Président de justesse, grâce aux voix de Floride qui lui
permettent d'obtenir les voix de 271 grands électeurs contre 266 à Al Gore.

chaque Américain à porter des armes – pas uniquement à en détenir chez soi (District of Columbia *vs* Heller) ; et limité la possibilité pour les écoles publiques de faire de la discrimination positive en prenant en compte le critère de la race (Parents Involved *vs* Seattle).

Le président Obama, et avec lui les démocrates, est très conscient du problème posé par cette Cour suprême et la toute-puissance des trafiquants d'influence au Parlement américain. Le jour même, avec son éloquence habituelle, il fustigeait cette décision, allant jusqu'à dire que « cette décision porte atteinte à notre démocratie [...] les élections américaines ne doivent pas être financées par les intérêts privés les plus puissants, ou pire encore, par des puissances étrangères[1] ». Quelques congressistes commencèrent à préparer des projets de loi pour amoindrir la portée de cette décision, en demandant aux sponsors privés d'exprimer clairement leur approbation des publicités politiques qu'ils soutiendraient. Ce qui donnerait : « Je suis le PDG de Global Corp et j'approuve ce message » qui vient de traiter le candidat opposant de tous les noms et qualités.

De telles demi-mesures ne suffiront pas pour juguler des intérêts financiers aussi importants[2]. Par ailleurs, on peut douter que l'esprit de sacrifice et de détachement des grands élus démocrates de la côte Est, récipiendaires de nombreuses donations provenant justement des industries de la finance, de la santé, de l'aéronautique

---

1. Discours sur l'état de l'Union, 27 janvier 2010.
2. Un chiffre parmi d'autres : la capitalisation boursière d'Exxon Mobil est de 300 milliards de dollars.

(Boeing en particulier), suffira à vaincre le système de corruption institutionnalisé qui a pris possession de Washington DC.

Il faudrait pour cela un vrai sursaut populaire, quasiment insurrectionnel. L'expression véhémente d'une population ne trouvant plus son compte dans un système économique et politique où quelques trafiquants d'influence, financés par Wall Street et quelques lobbies industriels, empêchent des dizaines de millions d'Américains d'être correctement nourris, logés, éduqués, soignés.

La France n'a pas l'apanage des révolutions ni des guerres civiles : l'histoire américaine, bien que plus récente, en déborde. Or, en cas de nouvelle crise financière, de rechute sévère de l'économie (*double-dip recession*[1]), de tels sursauts sont possibles dans l'Amérique des années 2010. D'abord parce que cette éventualité est un devoir civique, institutionnel : la Déclaration d'indépendance américaine le stipule clairement, dans son préambule[2]. Ensuite, parce que le niveau d'exaspération et de tensions sociales dans l'Amérique aujourd'hui commence à se manifester : les *tea parties*, mouvements de révolte contre la pression fiscale et le gouvernement, ne sont pas que l'affaire de néo-conservateurs illuminés et/ou à la

---

1. Ou encore de reprise économique sans création significative d'emplois, hypothèse la plus probable à l'automne 2010.
2. « Nous tenons pour évidentes pour elles-mêmes les vérités suivantes : tous les hommes sont créés égaux ; ils sont doués par le Créateur de certains droits inaliénables ; parmi ces droits se trouvent la vie, la liberté et la recherche du bonheur [...]. Toutes les fois qu'une forme de gouvernement devient destructive de ce but, le peuple a le droit de la changer ou de l'abolir et d'établir un nouveau gouvernement. »

retraite – ce mouvement a une résonance et une dynamique réelles ; les achats d'armes à feu continuent de progresser de façon sidérante [1] ; l'installation d'un chômage de
longue durée, dans un pays où les filets de protection
sociale sont minimes, touche désormais une population
très importante [2].

Il est cependant beaucoup plus probable que l'Amérique choisisse la voie démocratique plutôt que l'insurrection, ou la dictature, pour reconstruire ses équilibres.
Même dans les cas les plus extrêmes, l'Amérique a toujours choisi la démocratie : la Guerre civile n'a pas fait
émerger un Napoléon américain, mais Abraham Lincoln ;
la Grande Dépression et la Deuxième Guerre mondiale
n'ont pas imposé une dictature rouge, brune ou à l'eau de
Vichy, mais Franklin Roosevelt. La tradition démocratique américaine semble trop vivante et trop forte pour
être remise en cause. Par ailleurs, contrairement aux pays
du Vieux Monde, ils ne connaissent que le référentiel
démocratique : la dictature, ou la soumission trop rapide à
un gouvernement fort ou un capo, n'est pas un concept
américain.

Mais Barack Obama est-il justement le nouveau
Franklin Roosevelt ? Il est encore trop tôt pour le dire.
A ce jour, la ténacité et l'intelligence de Barack Obama
lui permettent d'accomplir de vrais succès, dans un
contexte d'obstruction systématique par le Parti

---

1. A l'image de Smith & Wesson, dont les ventes ont augmenté de 21 %
en 2010, et dont le carnet de commandes d'armes à feu est en hausse de 45 %
(résultats semestriels publiés le 30 juin 2010).
2. En mai 2010, 45 % des chômeurs le sont depuis 27 semaines et plus
(source : US Bureau of Labor Statistics).

républicain, et d'instrumentalisation de grands médias détenus par des intérêts plus ou moins américains, hostiles à toute réforme de fond[1]. Le passage de la réforme de la santé et des services financiers sont de vrais progrès, mais ne règlent aucun problème de fond, notamment le dérapage incontrôlé des dépenses de santé ou le dysfonctionnement de l'industrie bancaire.

Par ailleurs, sans forcer un parallélisme des formes et des dates, soulignons que Roosevelt n'a pas été élu juste après la Grande Dépression de 1929, mais quatre années plus tard. Dans les mois qui ont immédiatement suivi le krach de 1929 – comme c'est le cas depuis mars 2009 –, se succédèrent des périodes rapprochées d'euphorie et d'instabilité financière, faisant croire à une rémission. A tort. Il fallut attendre un vrai effondrement de l'économie au début des années 1930, et des circonstances exceptionnelles, pour faire émerger une figure comme FDR.

Si la crise actuelle devait prendre une tournure aussi dramatique, est-ce toujours Barack Obama que l'Amérique voudra élire, ou bien un Président moins soucieux de son image, et ayant ce je-ne-sais-quoi de courage sans partage et de brutalité assumée, dans les limites de la démocratie ? Un Président à poigne, conscient de son rôle historique, et qui saura entraîner derrière lui toute la nation américaine – Congrès et Sénat inclus.

De son discours d'inauguration en avril 1933 – une lecture recommandée pour aspirants hommes d'Etat des

---

1. Le groupe de Rupert Murdoch (naturalisé américain pour la circonstance), entre autres, détient Fox, Fox News, le *Wall Street Journal*.

années 2010 –, la postérité a retenu l'optimisme de Roosevelt, son sourire, et cette belle phrase américaine, qui est un appel à la confiance : « *There is nothing to fear but fear itself.* » Or, d'après les témoignages de l'époque, cette phrase, prononcée en début de discours, n'a pas suscité la moindre réaction. En revanche, quand Roosevelt a commencé à attaquer les *traders* de l'époque (les *money changers*) avec une violence non contenue ; lorsqu'il a averti le Congrès qu'il serait prêt à assumer « tous les pouvoirs » que peut lui donner la Constitution américaine en cas de guerre ; lorsqu'il a appelé « l'armée de citoyens » que compose le peuple américain à un « sursaut moral », ce furent des tonnerres d'applaudissements[1]. La voie était tracée pour les réformes intérieures les plus ambitieuses qu'ait connues l'Amérique au XXe siècle : le New Deal permettant de relancer l'économie et de créer du travail pour le plus grand nombre ; le Social Security Act, quinze ans avant la Sécurité sociale française ; le Glass-Steagall Act, séparant les banques utiles (banques commerciales) des banques spéculatives ; la création du gendarme de la Bourse, la SEC, afin de ne pas la laisser aux seules mains de financiers aussi habiles pour faire fructifier leurs petits intérêts égotiques, que peu regardants pour préserver le capital que leur ont confié entreprises et épargnants.

---

1. « *I assume unhesitatingly the leadership of this great army of our people dedicated to a disciplined attack upon our common problems* […]. *I shall ask the Congress for the one remaining instrument to meet the crisis* […] *broad executive power to wage a war against the emergency as great as the power that would be given to me if we were in fact invaded by a foreign foe.* » (Franklin D. Roosevelt, discours inaugural, mars 1933.)

Le résultat de cette reprise en main démocratique de l'Amérique par elle-même, grâce à un leader fort, est connu : au début des années 1930, l'Amérique était à terre, les manifestations à caractère communiste se répandaient dans tout le pays, alimentées par 25 % de chômage et une déflation que nos générations ne connaissent pas, ni directement ni de mémoire vivante ; quinze ans après, l'Amérique avec l'aide de l'Angleterre libérait l'Europe du nazisme et triomphait de la dictature militaire japonaise ; plusieurs décennies plus tard, elle faisait s'écrouler le mur de Berlin et l'empire soviétique.

Le défi du prochain grand Président américain, en 2012 ou en 2016, ne sera pas moins considérable. Les problèmes de l'Amérique sont immenses, et réclament un tel *leadership* : la comparaison – que faisait Roosevelt en 1933 – avec un état de guerre n'est pas usurpée. Sur de nombreux aspects et statistiques, l'économie et la société américaines sont comme en guerre : le niveau d'endettement rapporté au PIB est inégalé depuis la Deuxième Guerre mondiale. Tout comme le fait que la majorité de la population active soit désormais féminine[1]. Le chômage de longue durée atteint des proportions et une masse de population jamais connues de l'Amérique, même pendant la Grande Dépression.

A circonstances exceptionnelles, mesures exception-

---

1. Dette/PIB : 83,4 % en 2009, 88,3 % en 1944 (source : US Budget Historical Tables sur : whitehouse.gov/omb). La très grande majorité des emplois détruits depuis 2007 étaient détenus par des hommes – comme des victimes d'une guerre économique.

nelles. Et si le prochain président des Etats-Unis était justement un Président capable de faire la guerre ? Un Président issu de l'institution la plus admirée des Etats-Unis, et de très loin[1], à savoir l'armée. Allons faire un tour du côté de West Point, le Saint-Cyr américain. Là aussi, là surtout, l'Amérique semble en pleine réinvention.

---

1. Sondage Gallup cité par le président de General Electric, Jeff Immelt, dans un important discours à West Point le 9 décembre 2009. A la question : « Quelle institution admirez-vous le plus ? », les Américains répondent, à 77 % : « L'armée. »

West Point

« La raison indique et l'expérience prouve qu'il
n'y a pas de grandeur commerciale qui soit
durable si elle ne peut s'unir, au besoin, à une
puissance militaire. »

ALEXIS DE TOCQUEVILLE,
De la démocratie en Amérique.

Cadet Chapel, West Point, 13 mars 2010, 15 h 30

L'organiste est déchaîné. Comme si la tempête à l'extérieur de l'église lui donnait un surcroît de motivation : il faut, coûte que coûte, couvrir le bruit du vent et de la pluie.

Les notes font de l'escalade, galopent et redescendent à l'intérieur des 23 000 tuyaux des orgues de Cadet Chapel, dominant tout le campus de la plus prestigieuse et la plus ancienne académie militaire des Etats-Unis : West Point.

A l'intérieur de cette église-forteresse, grise et granitique comme la plupart des installations de West Point – ce style architectural se veut « gothique militaire » en américain, et porte très bien ce double adjectif –, l'assemblée est à l'image de la journée : grise et trempée. Ce n'est pas de chance. Ce week-end-là, l'académie militaire ouvrait ses portes pour les familles et les proches des cadets de première année de West Point (surnommés les *plebes*[1]), avant leurs vacances de printemps. Comme il n'y avait rien à faire à part regarder tomber la pluie, nous étions assez nombreux dans la Cadet Chapel à écouter ce récital d'orgues. Les familles entouraient leurs cadets, ces derniers tous sanglés dans leur uniforme gris passe-muraille. Beaucoup de fierté de part et d'autre.

Pouvoir porter l'uniforme gris de West Point n'est en effet pas à la portée du premier venu. L'année dernière, 1 200 recrues ont été sélectionnées parmi 12 000 candidatures venant de tous les Etats-Unis. West Point est le Saint-Cyr américain, mais aussi la meilleure université du pays, d'après le classement de référence du magazine *Forbes*, pour les *undergraduates*.

Financièrement, par rapport aux universités de son niveau, West Point est une aubaine : il vous suffit de travailler cinq années au service de l'Etat, et vous avez remboursé votre dette. Par rapport aux quatre années d'études à Stanford et Harvard, pour lesquelles il faudra s'endetter de plusieurs centaines de milliers de dollars, West Point est un bon *deal*.

---

1. Les *plebes*, ou bizuths de West Point, utilisent le Premier Amendement de la Constitution américaine avec parcimonie : pendant leur première année d'instruction, les seuls mots qu'ils peuvent prononcer devant leurs aînés sont « *Yes, Sir* », « *No, Sir* » ou « *I did not understand, Sir* ».

A ceci près que, depuis 2003, tous les cadets de West Point savent qu'ils devront rembourser leur dette en allant faire la guerre en Irak ou en Afghanistan.

Il y a une gravité dans cette Cadet Chapel, qui fait écho aux soixante-dix cadets qui se sont fait tuer ces dernières années, sur ces deux théâtres d'opération. Les visages poupins mais au regard d'adultes de ces futurs officiers, les sourires attentionnés mais un peu anxieux des parents, ne laissent pas beaucoup de place à la fantaisie. Parmi tous ces jeunes en uniforme gris, de 18 à 23 ans, combien auront dans les cinq prochaines années laissé leur vie, et les espoirs de leurs parents, dans une vallée d'Afghanistan ou au bord d'une route d'Irak ?

En entrant dans la Chapel, je m'étais étonné de l'ordre spartiate dans lequel avaient été rangés les livres. Sur chacune des quelque deux cents rangées de bancs, à parfaite équidistance les uns des autres, un grand livre rouge (de chants – *The Worshipping Church*) et un livre noir (la Bible) sont parfaitement alignés. Comme pour un défilé.

J'ouvre le livre rouge ; en première page, la prière du cadet : « *Guard us against flippancy and irreverence in the sacred things of life.* » Message reçu : à West Point, il n'y a pas de place pour la désinvolture ou l'irrévérence.

A West Point, où se fabriquent l'élite, la doctrine et les cadres de l'armée américaine, la vie que l'on protège et la mort que l'on donne sont des affaires sérieuses. La religion, aussi. On est très loin des dollars et des sourires mécaniques de Joel Osteen[1]. West Point compte neuf

---

1. Voir *supra* le chapitre « Manhattan, Kansas : au commencement était le Vide ».

« chapelles », en fait des centres religieux protestants, juifs et catholiques. Jusqu'en 1973, les activités religieuses étaient obligatoires. Elles sont aujourd'hui facultatives – mais très encouragées par l'encadrement de l'école.

Je suis venu passer la journée sur ce campus militaire, au bord de l'Hudson River, pour voir et comprendre l'une des composantes essentielles de la société américaine : son armée[1].

L'armée, tout comme la religion, le commerce, le patriotisme et l'idée de liberté, est omniprésente en Amérique. On la retrouve partout. Sur les autoroutes, où il est difficile de ne PAS croiser de convoi militaire. Dans les aéroports et les gares, où l'on rencontre deux catégories de soldats : ceux qui sont affectés à la surveillance du site, et ceux, bien plus nombreux, qui se déplacent, de retour ou en partance vers leurs missions.

Dans les *process* de la vie des entreprises, empruntant beaucoup des séquences et du vocabulaire militaire : on suivra des *steps*, on déclinera des *rules of engagement*, l'objectif est naturellement une « cible » (*target*) ; il vaut mieux d'ailleurs être *on target* si l'on veut faire une longue carrière – ne pas manquer sa cible, sinon gare. L'armée est aussi très présente dans les films, de guerre ou non. Enfin, l'armée américaine est un des principaux employeurs du pays, avec 1,5 million de personnes sous les drapeaux et autant de réservistes.

---

1. Haut lieu de bataille entre les forces américaines et britanniques : qui contrôlait West Point (où la rivière de l'Hudson fait un coude et se resserre) contrôlait le trafic de cette rivière, donnant accès à la région des Grands Lacs.

A cela, une raison historique objective : depuis la Déclaration d'indépendance en 1776, l'Amérique aura passé l'essentiel de son histoire à faire la guerre. Dans les premières années, la guerre à l'Angleterre, à l'Espagne, au Canada, au Mexique ; au XXe siècle, la guerre à l'Allemagne, à l'Italie, au Japon, à la Corée et la Chine communistes, à la Russie soviétique (guerre froide, mais guerre quand même), au Vietnam. Au XXIe siècle, la guerre à l'Irak et, dernièrement, *en* Afghanistan. La guerre, l'Amérique connaît. Elle a même poussé, à l'instar de la France révolutionnaire, une autre forme de guerre, particulièrement dévastatrice : la guerre contre elle-même. En quatre petites années (de 1861 à 1865), la guerre civile américaine aura tué plus de 600 000 personnes[1].

L'Amérique sait faire la guerre, et pas uniquement au passé. En 2010, l'omniprésence de la chose militaire en Amérique n'est pas le fruit du hasard, mais celui d'une stratégie délibérée, et poursuivie depuis des décennies : être la nation au monde qui consacre le plus d'investissements, humains et financiers, à ses capacités de défense et de projections de forces militaires. Objectif largement atteint : pour la seule année 2008, d'après le Stockholm Research Institute, les Etats-Unis ont investi plus de 600 milliards de dollars dans leur appareil de défense. Presque autant que la totalité des dépenses militaires des 191 autres pays du monde, et plus du double des dépenses militaires combinées des autres grandes puissances militaires mondiales, à savoir la Chine (un sep-

---

1. Source : civilwar.org.

tième du budget américain), la Russie, la France et la Grande-Bretagne.

Les bénéfices de cet investissement sont notables. Ainsi, la marine américaine contrôle *de facto* toutes les grandes routes maritimes mondiales : impossible de faire du commerce maritime sans elle. Le nombre de bases et de personnels militaires déployés en dehors des Etats-Unis rivalise avec le niveau de déploiement de ses forces pendant la Seconde Guerre mondiale : 290 000 soldats répartis dans 38 pays, plus environ 250 000 en Irak et en Afghanistan. *De facto* sous protectorat militaire américain, l'Allemagne (235 sites, 56 000 soldats), le Japon (123 sites, 33 000 soldats) et la Corée du Sud (87 sites, 26 000 soldats) [1] sont aujourd'hui, merci l'Amérique, les deuxième, quatrième et quinzième puissances économiques mondiales.

Une puissance militaire colossale qui permet d'imposer un ordre économique et monétaire mondial. Mais pour combien de temps ? Une telle puissance militaire, intimidante, est particulièrement efficace lorsque l'on n'a pas à s'en servir. Mais elle s'use vite si l'on s'en sert. Surtout à mauvais escient.

Lorsque je suis arrivé à New York à l'été 2007, l'idée que je me faisais de la superpuissance militaire américaine était assez mitigée : la Seconde Guerre mondiale était pour moi un événement d'il y a soixante ans passés - un temps écoulé plus grand que celui entre ma naissance et le début de la Première Guerre mondiale. Les images

---

1. Source : Department of Defense, mars 2008 (309A) et Base Structure Report, FY 2009.

du débarquement étaient donc éclipsées dans mon esprit par les exploits les plus récents de l'armée américaine : les enfants vietnamiens brûlés vifs grâce au napalm des bombes américaines, et le mensonge de la présidence américaine ayant permis aux forces américaines et britanniques d'envahir l'Irak et d'y assassiner des dizaines de milliers de personnes, sans motif valable, ni motif réel apparent.

Mes premières semaines en Amérique ne firent que confirmer ce sentiment. Le 16 septembre 2007, des mercenaires américains, salariés par la société américaine Blackwater Inc, ouvrirent le feu sans raison aucune sur des dizaines de civils irakiens, dans Nisour Square. Carton plein : 17 civils assassinés, dont plusieurs femmes. Ils avaient eu le tort d'être présents lors du passage de ce convoi censé transporter des « diplomates » (*sic*) américains.

Dans les jours qui suivirent, la licence de tuer – autrement formulé : la licence d'exploitation – de Blackwater fut temporairement suspendue ; une enquête fut ordonnée ; et le public américain eut le privilège de suivre l'audition par le Congrès du fondateur de Blackwater, Erik Prince, le 2 octobre 2007. Un exercice de relations publiques parfaitement exécuté, comme tout le reste, par cet héritier d'une grande fortune, au crâne rasé de très près, ancien nageur de combat (*Navy Seals*), néo-conservateur affiché, père de sept enfants en deux mariages, protestant converti avec ferveur au catholicisme. Comme le disait un de ses mentors au *New York Times*, Gary Bauer, président de American Values, « les Prince sont des chrétiens conservateurs, et ils ont des convictions fortes sur le caractère sacré de la vie humaine [*strong views on the sanctity of human life*] ». Là où ils sont, les 17 Irakiens assassinés à Nisour Square doivent apprécier la vigueur de ces convictions familiales-là.

D'après M. Prince, les employés de sa milice privée ne sont donc pas des mercenaires, mais des *loyal Americans* qui ont juste fait leur *job*. D'ailleurs, ils l'ont bien fait. Ils ont même agi de manière « appropriée », sachant qu'ils opéraient dans une zone de guerre franchement compliquée. Il est pratiquement allé jusqu'à dire que ses employés étaient « victimes » de leur excès de professionalisme. La seule chose que l'on pouvait leur reprocher étant un jugement précipité (*rush to judgment*). Le reste était du même tonneau. Conseillé par des professionnels de l'image, Burston Marsteller, Blackwater se refit une virginité en changeant de nom (Xe Services) et en mettant son fervent président au vert pour quelque temps.

Cette audition ne fit que renforcer mon jugement, que je croyais définitif, sur l'armée américaine. Je l'assimilais à une brute épaisse, dopée aux dollars et aux serments sur la Bible, ivre de sa propre puissance, et tuant au nom de Dieu. Qui pourrait me prouver le contraire ?

La réponse fut donnée, non pas par M. Prince et ses acolytes, mais par l'armée régulière américaine, et très précisément par sa tête. Alors même qu'elle menait deux guerres simultanées en Afghanistan et en Irak, à des milliers de kilomètres de Washington, l'Amérique entreprenait la réécriture complète de sa doctrine militaire. Il était temps.

La nouvelle doctrine américaine,
de Colin Powell à Stanley McChrystal

En matière militaire comme politique, il ne faut jamais se fier aux apparences. Au début des années 1990, la star de l'armée militaire s'appelait Colin Powell. Un parcours admirable à bien des égards : élevé dans les quartiers pauvres du Bronx, vétéran du Vietnam, il devient le premier Noir chef d'état-major des armées américaines, en 1989, et pilota avec succès, depuis son bureau à Washington, la première guerre du Golfe contre Saddam Hussein en quelques semaines en 1991. Il applique ainsi à la lettre un des principes de sa doctrine militaire, dite « doctrine Powell » : l'utilisation d'une *overwhelming force*, une force démesurée, disproportionnée, qui garantit une victoire rapide et définitive.

En 1991, j'avais 21 ans, et cette première guerre d'Irak paraissait amusante comme un jeu vidéo. CNN retransmettait des images de missiles tirés la nuit : des traces vertes comme dans un feu d'artifice. Lorsque les bombes et les missiles touchaient leurs objectifs, broum, la terre se mettait à trembler devant les caméras. Une victoire en quelques semaines ; cent mille morts irakiens ; cent quarante-huit morts américains.

Tout auréolé de cette victoire, Colin Powell devint en 2001 le ministre de la Défense de George W. Bush. Il put affiner sa doctrine : l'armée américaine serait désormais engagée dans les conflits, mais seulement à trois conditions : 1) le territoire américain est menacé, 2) le soutien populaire est acquis à l'action militaire, 3) l'utilisation de la désormais fameuse *overwhelming force* doit permettre une victoire rapide et totale.

Une belle doctrine, dont la deuxième guerre du Golfe a montré toutes les limites. Pour faire croire que la sécurité du territoire américain était en jeu (condition 1), il a fallu que M. Powell et son Power Point[1], et derrière eux MM. Bush et Blair, entre autres, fabriquent des mensonges d'Etat devant le Conseil de sécurité de l'ONU, le 5 février 2003. Inventent des preuves d'un lien entre les talibans d'Al-Qaida et les laïcs baasistes de Saddam Hussein (il n'y en avait aucun en 2003). Invoquent l'existence de prétendues armes de destruction massive, etc.

Pour remplir la deuxième condition (le soutien populaire), quoi de plus efficace qu'une bonne propagande ? Je me souviens comme d'hier de mes *roadshows*[2] aux Etats-Unis après le 11 septembre 2001. Dès que je regardais une chaîne de télévision, d'information ou pas, un petit carré formé de bandes vertes, jaunes, orange et rouges se formait dans un des coins de l'écran. Il signalait le niveau d'alerte concernant un éventuel risque terroriste ! Je voyais à la télévision, au printemps 2002, des publicités récurrentes – et même des conseils d'utilisation – concernant les *duct tapes*. Je ne connaissais pas ce mot : il s'agissait de gros rubans adhésifs, permettant de calfeutrer portes et fenêtres, en cas d'attaque biochimique !

Grâce à la doctrine Powell, les Américains vécurent

---

1. Voir *supra* chapitre «Midtown, New York : de l'art de vivre pour travailler », p. 47.
2. Voir le chapitre 5 de *Analyste, op. cit.*

dans une terreur savamment entretenue par les médias pendant plus d'un an, jusqu'à la libération finale : l'utilisation de l'*overwhelming force* en mars 2003, avec l'invasion de l'Irak par la coalition anglo-américaine.

Le reste de l'histoire, et des dégâts provoqués par cette doctrine, est connu : la faute morale de l'invasion militaire de l'Irak, fondée sur un mensonge, se doublait d'une erreur de stratégie militaire. Peu de temps après la chute du régime baasiste, une violente insurrection sunnite déborda les troupes d'invasion américaines, trop peu nombreuses. Leur réaction face à l'insurrection fut littéralement *by the book*, suivant en tous points la doctrine Powell, et ce qu'on appelle la doctrine de la coercition – *coercion school*[1]. L'*overwhelming force* de l'armée américaine, surprotégée derrière ses blindés, ses zones vertes et ses drones, se concentrerait désormais sur la population civile irakienne.

Les assassinats de civils irakiens passant des *check-points*, les actes de torture menés par des soldats américains à la prison d'Abu Graïb, les arrestations massives de personnes innocentes, comptèrent parmi les dommages collatéraux de cette stratégie. Ils contribuèrent au désastre militaire, moral et économique de l'invasion.

---

1. Cf. travaux de la RAND Corporation – Leites/Wolf, et Edward Luttwak – « *the easy and reliable way of defeating all insurgencies everywhere is to out-terrorize the insurgents, so that fear of reprisals outweighs the desire to help the insurgents* » – cité dans un article de *Foreign Affairs*.

La réécriture de la doctrine militaire américaine

Fin 2006, trente mille tués et blessés américains plus tard – et environ trois fois plus d'Irakiens assassinés, il était temps que cela change. Le changement est venu de l'armée américaine elle-même, et de l'un de ses chefs les plus prestigieux : le général Petraeus, passé par West Point (promotion 1974).

Dès la fin de l'année 2005, Petraeus se dit qu'il fallait faire quelque chose. L'Irak, il connaissait : commandant de la 101ᵉ division aéroportée (1 500 hommes tués lors du débarquement en Normandie, avant de gagner la bataille des Ardennes), il mit en pièces la garde républicaine de Saddam Hussein en quelques semaines au printemps 2003, avant de tenter de pacifier le nord de l'Irak, avec ses Kurdes, ses sunnites, etc., puis de former en 2004 et 2005 les forces de sécurité irakiennes.

Rentré en Amérique, à Fort Leavenworth, Kansas, ce chef de guerre – mais aussi titulaire d'un PhD de Princeton sur « l'armée américaine et les leçons du Vietnam » – entreprit une réforme de fond en comble de la stratégie militaire américaine. Dans un manuel de près de 300 pages[1], co-écrit par James Mattis, commandant en chef des Marines américains, il pilonne les théories anciennes, ayant fait la preuve de leur inefficacité sur le terrain, et promeut son modèle : pour vaincre une insurrection, dans la complexité du monde et des théâtres d'affrontements du XXIᵉ siècle, il

---

1. Réédité en décembre 2006, *Counterinsurgency Field Manual*, University of Chicago Press.

faut arrêter de terroriser les populations, mais au contraire gagner les cœurs et les esprits (*hearts and minds*). La population devient le « centre de gravité », le centre des préoccupations des troupes de combat. Elle peut, elle doit devenir un levier. A tel point que « la fonction première » (*sic*) des activités de contre-insurrection doit être de « protéger les populations » ! Obligation de faire un usage modéré et restreint de la force militaire, sinon le risque est « d'augmenter le ressentiment, de créer des martyrs », provoquant une réaction de revanche et une escalade de la violence.

Ce manuel contient de nombreuses perles de bon sens, mais qui paraissent inouïes pour l'idée que l'on peut se faire, de l'extérieur, de la culture militaire américaine : « *some of the best weapons do not shoot* », « il est a priori impossible de tuer 100 % des insurgés », chaque insurrection doit être replacée dans son contexte, etc.

L'élite de l'armée américaine prépare ses troupes, l'opinion publique, et la classe dirigeante politique, à évoluer dans la complexité du XXIᵉ siècle, où ceux que l'on croyait être des ennemis hier doivent devenir des protégés, voire demain des alliés.

Problème de cette doctrine militaire : pour protéger et rallier les populations, elle exige de mobiliser bien plus de troupes sur le terrain, et réclame que ces troupes soient bien plus exposées qu'auparavant.

Le général Petraeus a été le plaider en janvier 2007, à la Maison-Blanche puis au Sénat : après plus de 30 000 victimes américaines en quatre ans[1], et un pays

---

1. Source : icasualties.org.

en plein chaos, il réclame, afin de stabiliser le pays, pas moins de 30 000 hommes supplémentaires !

Cris d'orfraie de la classe politique traditionnelle, et tout particulièrement de l'aile gauche du Parti démocrate et du candidat à la présidentielle, Barack Obama. Petraeus obtient gain de cause, et peut ainsi mettre immédiatement en œuvre sa théorie.

Le succès de cette opération appelée «*surge*» («montée») fut quasi immédiat, et sanctionné par la tenue d'élections démocratiques libres quelques mois plus tard. Le nombre de tués, côté américain comme irakien, a chuté de façon impressionnante [1].

La nouvelle doctrine militaire, élaborée par le général Petraeus, est ensuite reprise, affinée et amplifiée par les autres hauts responsables de l'armée américaine, et tout particulièrement le général Stanley McChrystal, à qui le président Obama et le Sénat américains ont confié la direction des forces armées américaines et de l'OTAN en Afghanistan, le 10 juin 2009.

Stanley McChrystal (West Point, 1974) n'est pas exactement l'idée que l'on peut se faire d'un «pacificateur» qui va gagner «les cœurs et les esprits» des populations insurgées.

Fils de général, quatre frères servant tous dans l'armée, une sœur ayant épousé un militaire, Stanley McChrystal, 56 ans, un seul repas («pour rester éveillé») et douze kilomètres de jogging par jour, visage émacié, est un

---

1. 314 américains tués en 2008 et 149 en 2009 contre 904 en 2007. 4 859 civils iraquiens tués en 2008, 2 604 en 2009 contre 17 108 en 2007 (source : icasualties.org).

professionnel de la guerre. Pas n'importe quelle guerre : initialement parachutiste dans la 82ᵉ division aéroportée[1], rapidement affecté aux opérations spéciales, il gravit les échelons de l'armée pour diriger de 2003 à 2008 les forces spéciales américaines, depuis divers endroits secrets, entre le Qatar, l'Irak et l'Afghanistan. Sous son commandement, cette unité, qualifiée par *Newsweek* de « la force la plus obscure de l'armée américaine », inflige les plus lourdes pertes à Al-Qaida, faisant disparaître ses principaux chefs de guerre en Irak, tel al-Zarqawi, dont il identifia personnellement le corps.

Stanley McChrystal sait faire la guerre, usant s'il le faut des méthodes les plus sombres. Contrairement à Colin Powell, qui eut une expérience traumatisante mais très limitée du combat militaire (quelques mois comme capitaine pendant la guerre du Vietnam, avant d'être rapatrié à la suite d'une chute dans un piège à loup), le général Stanley McChrystal connaît d'autant mieux le prix de la vie humaine qu'il s'agit de celle de ses troupes, ou de celle de l'ennemi qu'il leur a ordonné de tuer, parfois de leurs propres mains.

Lorsqu'il est nommé en juin 2009, il hérite lui aussi d'une situation quasi perdue d'avance. Contrairement à l'Irak, l'Afghanistan est un pays sans institutions d'Etat solides, où la population est peu éduquée, et vit 44 ans en moyenne (contre 69 ans en Irak). Comment convaincre une population composée aux trois quarts d'analphabètes, vivant en grande partie du trafic d'opium, et se

---

1. 995 morts en France pendant la Première Guerre mondiale, retour en France pour le débarquement de Normandie.

targuant de faire de l'Afghanistan un « cimetière d'empires », après avoir vaincu l'Empire britannique à trois reprises au XIXe siècle, et l'Empire soviétique au XXe siècle ? En juin 2009, les forces américaines et de l'OTAN comptaient leurs morts, et pour quel résultat, sinon l'hostilité croissante des habitants, alimentée par de nombreux bombardements massifs et aveugles sur les civils.

On pouvait raisonnablement s'attendre à ce que Stanley McChrystal mette en œuvre son art de la guerre : multiplier les opérations commandos ; traquer et exécuter des talibans de jour comme de nuit.

La première action du général McChrystal, sitôt confirmé et installé en Afghanistan, ne fut pas d'intensifier l'effort de guerre tous azimuts, mais de rédiger un rapport.

Un rapport de 66 pages, écrit le temps de l'été 2009, entre sa commande le 26 juin, et sa livraison le 30 août 2009 à Robert Gates, Secrétaire d'Etat à la Défense.

Il faut souhaiter que ce rapport soit traduit et étudié dans toutes les écoles de guerre du monde : il pousse encore plus loin que le général Petraeus la nouvelle doctrine de guerre américaine, dont on espère qu'elle s'imposera rapidement partout dans le monde. Son contenu est tellement révolutionnaire que le président Obama lui-même a pris 90 jours pour le lire, l'assimiler, et prendre enfin la décision que le général McChrystal lui recommandait : déployer – comme en Irak – trente mille soldats supplémentaires, pour faire la guerre aux talibans. Mais *autrement*.

Dans ce rapport, où le mot « culture » apparaît à cinq

reprises dans les deux premières pages («changer notre
culture opérationnelle», «notre ignorance des langues et
des cultures locales», etc.), le général McChrystal, par
ailleurs *senior fellow* de la Harvard University et du prestigieux Council on Foreign Relations, décrit son programme et son ambition. Extraits :

« La situation en Afghanistan est sérieuse […] on ne
peut tenir pour acquis ni le succès, ni l'échec […] le
point essentiel (*the key take-away*) est notre besoin urgent
de radicalement changer notre stratégie, notre façon de
penser et d'agir. […] Pour obtenir le soutien de la population, il nous faut mieux comprendre leurs critères de
choix et leurs besoins. »

« Nous sommes tellement préoccupés par notre propre
protection que nous manœuvrons d'une façon telle que
nous creusons un fossé – physique et psychologique –
avec ceux que nous sommes censés protéger… les insurgés ne peuvent pas nous battre militairement ; mais nous
sommes notre pire ennemi – *we can defeat ourselves*. »

Suit la description de la nouvelle stratégie à adopter.
Il faut tout repenser, «la façon dont nous nous dépla-
çons dans le pays, la façon dont nous utilisons la force,
et la façon dont nous faisons équipe avec les Afghans.
[…] notre sécurité ne provient pas de notre fusil – *security may not come from the barrel of a gun*. »

Mais où a-t-il été chercher tout cela ? «Ma conviction profonde, qui sous-tend mon analyse, est que nous
devons prendre en compte toute la complexité de notre
environnement […] notre objectif doit être la volonté
du peuple (afghan), notre approche militaire conven-
tionnelle fait partie du problème. »

Concrètement, il va falloir un renfort de troupes, non pas pour tuer plus de talibans, mais bien pour être plus proche du peuple afghan, le protéger, et nouer des relations d'amitié avec lui ! « La force internationale va d'abord se concentrer sur les zones les plus peuplées, sous le contrôle des insurgés, pas parce que l'ennemi est présent, mais parce que la population y est menacée par les insurgés. »

Un tournant pris à 180 degrés, et à pleine vitesse. Pendant la guerre du Vietnam, les Américains espéraient gagner en maximisant – et en médiatisant – le nombre de tués chez l'ennemi. En Afghanistan sous McChrystal, la priorité est inverse : « *put the Afghan people first* ». « Nos forces doivent passer le moins de temps possible dans leurs véhicules blindés ou derrière les murs de leurs bases, et le plus de temps possible avec les gens. Une des clés de notre succès sera les liens forgés entre les forces de sécurité et les populations locales. »

L'une des sections les plus étoffées du rapport (rendu opportunément public à l'automne 2009, en grande partie pour forcer la main d'un président Obama très hésitant) concernait la culture des différentes ethnies composant l'Afghanistan, et notamment les Pashtouns, à l'indépendance sourcilleuse, mais bien plus pragmatique qu'on ne pouvait le croire à Washington. (Traduction : on peut les retourner moyennant salaire et bénéfices.)

Notons que les généraux McChrystal et Petraeus ne sont pas des originaux isolés, des *mavericks*, des têtes brûlées que l'institution militaire oubliera, sitôt les guerres passées. Leurs stratégies ont en effet été approuvées de la manière la plus officielle qui soit, le 5 mars 2010, par le

chef d'état-major interarmées (*Joint Chiefs of Staff*),
l'amiral Mike Mullen, dans un endroit que les lecteurs
de ce livre connaissent bien désormais : la petite ville de
Manhattan, Kansas[1].

La réinvention est acquise. Mais la victoire ?

Faire la guerre *autrement* : voilà ce que les plus hauts
cadres de l'armée américaine proposent à leurs dirigeants
politiques.

Dans le temps médiatique qui est le nôtre, les quatre
années qui séparent l'invasion de l'Irak, en 2003, et la
mise en place de la stratégie du général Petraeus, en
2007, paraissent une éternité. Mais que sont quatre
années pour l'une des organisations et bureaucraties les
plus grandes et les plus complexes au monde (plusieurs
millions de personnes) ? La vitesse de réaction et d'adap-
tation de l'armée américaine est stupéfiante. En Amérique, plus les difficultés sont grandes et les défis
insurmontables, plus l'élite comme le peuple semblent
capables de chercher en eux-mêmes des ressources
inouïes, pour faire face, et sortir renforcés de l'épreuve.

Renforcés, peut-être. Vainqueurs, c'est une autre
question.

A l'heure où ce livre est publié, il est bien trop tôt

1. « *We must not try to use force only in an overwhelming capacity, but in the
proper capacity, and in a precise and pricnipled manner*» (discours prononcé à la
Kansas State University).

pour dire si l'Amérique a « gagné » ses guerres d'Irak et
d'Afghanistan. Le général McChrystal vient d'être
limogé après s'être fait piéger dans une interview d'un
journaliste du magazine *Rolling Stones* : un prix cher
payé pour des plaisanteries de corps de garde[1]. Comme
si un magazine de variétés avait contraint Foch à démis-
sionner en 1917. Cette formidable aubaine pour les
talibans vient désorganiser le commandement américain, à un tournant décisif de la guerre (la bataille de
Kandahar). Les experts s'accordent désormais pour dire
que la guerre d'Afghanistan est perdue d'avance. Que
l'Amérique peut espérer, au mieux, une retraite moins
déshonorante que celle du Vietnam. A-t-on mesuré
précisément, en Europe comme en Amérique, ce que
signifierait un tel résultat : la victoire de Ben Laden et
de ses amis sur les démocraties occidentales, dix ans
après les attentats du 11 septembre ? Que resterait-il de
la première puissance mondiale si elle était vaincue par
un peuple composé aux trois quarts d'analphabètes,
vivant du trafic d'opium, et bientôt à nouveau sous la
coupe de barbares ?

Je ne suis pas un expert militaire ou géopolitique, et
ne peux répondre à cette question. En revanche, il me
paraît impensable qu'une telle humiliation militaire ne
fasse pas chanceler la puissance économique, monétaire
et financière des Etats-Unis. Financièrement, à court
terme, la défaite de l'Amérique semble complète :
d'après le Congrès américain, les guerres d'Irak et
d'Afghanistan ont déjà englouti mille milliards de

---

1. Article « The Runaway General », *Rolling Stones*, juin 2010.

dollars en moins d'une décennie ! Même en regardant cyniquement cette dépense comme un investissement, sa rentabilité est douteuse, les Américains n'ayant même pas fait main basse sur le pétrole irakien – qui reste la propriété de l'Etat irakien, tandis que le dernier appel d'offres pour l'exploitation de champs pétrolifères dans le nord de l'Irak a fait la part belle aux intérêts non américains.[1]

Mille milliards de dollars partis dans les sables d'Irak et les vallées afghanes ! Comment, à plus long terme, l'Amérique peut-elle vraiment rebondir, avec de telles pertes financières sans retour ? J'ai été chercher les réponses à cette question-là sur un champ de bataille particulier : Detroit, cimetière de l'industrie automobile américaine. Mais un cimetière de morts vivants : en effet, la ville et ses principaux employeurs General Motors, Chrysler, Ford, bougent encore ! Ultime réinvention américaine, ou début de la fin ?

---

1. En décembre 2009, une *joint-venture* formée par la compagnie britannique Shell et Petronas (Malaisie) a obtenu le droit de développer le champ pétrolifère de Majnoon (avec pour objectif d'extraire 1,8 million de barils par jour). Voir également un article de Reuters intitulé « No boon for U.S. firms in Iraq oil deal auction » (http://www.reuters.com/article/idUS-TRE5BB18Q20091212).

Apocalypse tomorrow ?

Detroit : le Purgatoire

> « Ce qui est bon pour General Motors est bon pour l'Amérique[1]. »

Detroit, juin 2010

« *Welcome to Detroit*, cité de la Renaissance ». En lisant ce panneau de bienvenue à l'entrée de la ville, je pensais moins à Florence et au Quattrocento qu'aux panneaux des villes désertées que traversait Lucky Luke dans le Far West. « Etranger, ne t'y attarde pas si tu ne veux pas y rester[2] ». En avril 2009, le magazine *Forbes* l'avait classée ville la plus dangereuse de l'Amérique, où l'on a huit fois plus de chances d'être assassiné qu'à San Francisco[3]. Une personne sur quatre y est au chômage. Une personne sur

---

1. « *What is good for GM is good for the country* » : slogan des années 1950-1960, popularisé par Charles Erwin Wilson, PDG de General Motors, lors de son audition au Sénat américain en 1953 pour devenir Secrétaire d'Etat à la Défense.
2. *Dead Ox Gulch, Des Rails sur la Prairie* (Dupuis).
3. Source : FBI Crime Report, 2009.

trois y vit en-dessous du seuil de pauvreté. Deux lycéens sur trois finissent leur scolarité sans aucun diplôme. Une ville si peu désirable qu'à fin 2008, le prix médian d'une maison à Detroit était tombé à 7 500 dollars. Depuis soixante ans, les gens fuient Detroit comme la peste : la ville comptait près de 2 millions d'habitants en 1950 ; le recensement de 2010 devrait montrer que cette population a été divisée par deux, voire par trois.

Sans aller jusqu'à parler de purification ethnique ou économique, l'histoire récente de Detroit pointe ces raisons-là, pour expliquer un tel cataclysme. La question raciale, d'abord : le dimanche 23 juillet 1967 au petit matin, une descente de police dans un bar d'un quartier noir initie l'une des émeutes raciales les plus violentes de l'histoire des Etats-Unis[1]. Conséquence sur le long terme : la population blanche prit ses cliques et ses claques et partit en masse trouver du travail dans les Etats du Sud ; ceux qui ne pouvaient pas partir se réfugièrent dans les banlieues à l'ouest de la ville. Les statistiques sont sans appel : en 1930, les Afro-Américains représentaient 8 % de la population de Detroit ; en 2007, ils représentaient 82 %. La population blanche a été amputée de plus de 1 million de personnes depuis ces émeutes.

Triste réalité américaine, dont on aurait tort de croire que l'élection de Barack Obama l'a enterrée, le racisme continue de définir les géographies des villes américaines, composées de véritables ghettos ou enclaves de

---

1. 43 morts, 467 blessés, plus de 2 000 immeubles et maisons détruits, 7 200 arrestations et l'intervention de l'armée pour y mettre un terme.

Blancs, d'Afro-Américains, d'Hispaniques. Detroit en est une illustration spectaculaire.

L'autre fléau qui s'est abattu sur cette ville est économique : capitale de l'industrie automobile américaine, Detroit en a connu les heures les plus riches – les années 1950 – et les plus sombres : aujourd'hui. Le premier employeur de la ville, General Motors, employait 600 000 salariés américains à la fin des années 1970. En 2009, lorsqu'il fut mis en redressement judiciaire – Chapter 11 – ses effectifs avaient été divisés par dix.

Les raisons de l'effondrement sont connues. Croyant être à l'abri de toute forme de compétition, derrière les frontières naturelles et invisibles du plus grand marché mondial automobile, les géants Chrysler, Ford et General Motors se sont endormis, et se sont laissés aller dans tous les domaines.

Pourquoi créer des voitures petites, économiques, et consommant peu d'essence ? « *Big is beautiful* », l'essence est abondante et bon marché en Amérique (les taxes y étant moins élevées qu'en Europe), pourquoi s'embarrasser ? En 2007, une voiture américaine consommait en moyenne deux fois plus d'essence qu'une voiture européenne ou japonaise[1].

Les ventes faiblissent ? Les clients ne veulent plus de modèles à peine revisités au fil des décennies ? Qu'à cela ne tienne : le stock sera bradé, avec des décotes de 30, 40, 70 %, et tant pis si l'on est en-dessous du coût de revient. L'important est de produire et d'écouler la

---

1. D'après une enquête du *New York Times Magazine*, fin 2007.

marchandise. GM, Chrysler et Ford, sans doute marqués par la transformation brutale de leurs chaînes de production au service du pays dans les années 1940 – les chaînes servant à fabriquer des voitures ayant été reconverties pour produire avions et tanks –, furent incapables de changer leurs *process* : il fallait produire et écouler le stock, coûte que coûte. La victoire en dépendait.

Une mentalité productiviste avant d'être commerciale, ignorant la concurrence et l'évolution des demandes des consommateurs, faisait triompher les objectifs quantitatifs : pourquoi perdre du temps à améliorer des modèles, alors que, bon an mal an, depuis les années 1930, plus de 12 millions de voitures sont vendues en moyenne chaque année aux Etats-Unis[1] ? Enfin, ces géants industriels se révélèrent incapables de résister au syndicat dominant l'industrie automobile américaine, le UAW. Dans les années 1960, le UAW obtint ainsi, entre autres avantages, que General Motors couvre 100 % des dépenses de santé de ses travailleurs, ses retraités et leurs veuves, *ad vitam aeternam*. Compte tenu du nombre des retraités de GM (340 000), et d'un système de santé américain tirant les coûts à la hausse[2] cette mesure finit d'achever la compétitivité de GM[3].

Conséquence de ce laisser-faire à courte vue : les

---

1. Source : Ward Auto.
2. Si le patient a une assurance privée, le prestataire de services – hôpital, clinique – va systématiquement au plafond en termes de prix ; l'absence de règles et de l'équivalent d'un ordre des médecins y est pour beaucoup.
3. En 2008, le salaire horaire moyen chez GM, Chrysler et Ford était de 65-75 dollars de l'heure, contre 45-55 dollars pour ses concurrents (notamment Toyota, qui couvre les dépenses de santé pour... 250 de ses anciens salariés).

cinq années précédant sa faillite, GM était devenu une machine à détruire de la richesse, perdant 88 milliards de dollars entre janvier 2005 et juin 2009 – 55 millions de dollars par jour.

Mises en place trop tardivement, des mesures d'économies drastiques ne permirent pas d'enrayer la spirale de mort[1]. Le coup de grâce fut donné par la crise financière de 2008-2009, qui vit plonger les ventes de voitures américaines. En juin 2009, les deux premiers employeurs Chrysler et General Motors furent mis en redressement judiciaire, sous la tutelle du gouvernement. Quelques mois plus tôt, le précédent maire de Detroit, Kwame Kilpatrick, passait trois mois en prison pour solde de tout compte des innombrables scandales et plaintes associées à son nom[2].

« *Welcome to Detroit* ». Je m'attendais au pire, en arrivant ce matin de juin 2010 : il fut au rendez-vous.

Dans le centre-ville, tout est vide et silence : l'impression d'être dans une ville fantôme, que les gens ont fuie suite à une guerre, une attaque nucléaire ou une pandémie. Seuls quelques sans-abris noirs errent dans les rues, et se retournent sur mon passage. Les magasins ouverts qui subsistent sont des épiceries sales, obscures, des *barber shops*, des magasins d'alcool, des snacks et quelques friperies. J'y entre par curiosité, mais ne m'y attarde pas : je

---

1. Cf. *supra* chapitre « Californie ».
2. Accusé de parjure, d'obstruction à la justice, soupçonné de corruption tous azimuts (notamment d'officiers de police), de meurtre commandité sur Tamara Greene, une des huit strip-teaseuses convoquées pour une réunion à huis clos chez lui en 2002, réunion brutalement interrompue par l'arrivée impromptue de Mme Kilpatrick.

sens que je ne suis pas à ma place. Est-ce à cause de ma couleur de peau ?

Un immeuble sur quatre est à l'abandon, les vitres brisées, les portes barricadées. Les autres, pour une grande partie, affichent des panneaux « *For sale* », « *For lease* » ou « *For rent* ». Les immeubles intacts (Ford Building, Guardian Building...) semblent inhabités et ressemblent plus à des monuments ou mémoriaux historiques qu'à des centres économiques. Même le luxueux et moderne Renaissance Center est désert.

Et toujours le silence, que seul rompt le Detroit People Mover, sorte de train aérien, qui émet un son strident à son passage.

La sensation de vide est exacerbée par les mesures de précaution radicales prises par les commerçants : pour éviter le pillage et le vandalisme, les commerces – sans parler des banques – sont en étage, barricadés à l'intérieur des grands immeubles du centre-ville. Il n'y a donc aucune raison de croiser des passants dans le centre de Detroit. Telle est la réalité de ce drôle d'endroit : dans la plupart des rues, les seuls êtres animés sont des sacs-poubelle qui vont et viennent au gré du vent.

La vie quotidienne n'est pas simple à Detroit : pour faire leurs courses alimentaires, les 900 000 habitants de la ville peuvent s'approvisionner dans les stations-service, les épiceries de quartier, ou bien dans DEUX hypermarchés du discounter Aldi. Les Wal-Mart et autres enseignes nationales n'ont pas jugé économiquement rentable de servir la onzième plus grande ville des Etats-Unis : trop risqué ; trop pauvre.

Detroit a hérité de nombreux petits noms : Motor

City, Motown (Motor-Town). Ghost Town serait plus approprié : la ville dans laquelle je me déplace, cadenassé dans ma voiture, ressemble à une ville fantôme. Je vois bien, de ci, de là, que la vie existait dans cette ville. L'ancienne gare (fermée en 1988), le «Michigan Central Depot», est devenue une gigantesque ruine de 70 mètres de haut sur une surface de 46 000 mètres carrés, entourée de barbelés. Les fenêtres brisées. Cet ancien lieu de vie et d'échanges, construit en 1913 pour accélérer le développement de la ville, est devenu un tombeau.

Etrangement, à certains endroits, un élément vient trancher avec ce gris dominant : le vert, ou plutôt la verdure. En s'écartant un petit peu de Downtown Detroit, vers East Detroit, les espaces résidentiels sont entrecoupés d'herbe, d'arbres et de champs : la nature a réinvesti cet endroit délaissé par les humains.

Souffrant pour beaucoup du chômage et de la pauvreté, poussés par un instinct de survie, certains habitants de Detroit se sont lancés dans l'agriculture de subsistance. On peut ainsi voir des champs de salades, de tomates et d'oignons, des arbres fruitiers, des oies ou des poules entre deux espaces d'habitations. Nous sommes toujours dans Detroit, pas à la campagne. Ces cultures sont soit réalisées à titre individuel, soit à titre collectif. Comme les petits lopins de terre et les kolkhozes de l'URSS. La «Earth works urban farm» par exemple, située à seulement dix minutes en voiture de Downtown Detroit, permet aux plus démunis d'obtenir gratuitement des vivres cultivés par des travailleurs volontaires, ou de cultiver eux-mêmes puis de consommer leurs propres produits. La Catherine Ferguson Academy, école dédiée aux filles-mères, possède plusieurs parcelles cultivables (carottes, ail, tomates), un cheval, des chèvres, dans le but de nourrir ses membres. Les agriculteurs sont soit les élèves, soit des travailleurs bénévoles.

Je ne suis pas venu ici assouvir une *Schadenfreude*, mais pour comprendre un miracle : cet endroit de mort, ce fantôme économique et social qu'est Detroit bouge encore ! Lui aussi cherche à se réinventer, comme le reste de l'Amérique. Il le fait cependant avec une méthode radicale, celle que l'on utilise après avoir tout essayé. Une méthode fondée sur l'amputation, la saignée, et la disparition des dettes. Trois acteurs clés se sont mobilisés pour permettre à Detroit de liquider son passé, avant de réinventer son avenir : la mairie ; la population ; l'Etat fédéral.

La mairie de Detroit :
« Speramus Meliora ; Resurget Cineribus »

« Nous espérons une amélioration ; cela renaîtra des cendres ». On doit la devise de Detroit au père Gabriel Richard, après l'incendie de 1805 qui ravagea la ville, du temps où, comme la moitié des territoires connus d'Amérique du Nord, elle était française[1]. Deux siècles plus tard, la devise de Detroit colle à merveille à la

---

1. Natif de Saintes venu évangéliser les Indiens d'Amérique du Nord, il devint représentant du Michigan au Congrès américain.

réalité de cette ville morte : il s'agit de la faire renaître de ses cendres, et de ses échecs passés. Le maire actuel, Dave Bing, n'y va pas par quatre chemins : « *A city is a business.* » La ville de Detroit est comme une entreprise. Et, de son propre aveu, la situation dont il hérite est bien pire que ce à quoi il s'attendait. A l'image de l'Amérique, Detroit est surendetté, traînant une dette de plus de 8 milliards de dollars – 10 000 dollars par habitant. Il faut parer aux urgences, et ne pas se raconter d'histoires. 57 % des habitants de la ville l'ont élu en novembre 2009 pour redresser la situation. Contrairement aux professionnels de la politique, il n'est là ni pour la gloire, ni pour l'argent : star du basket, et reconverti avec succès dans les affaires, il a les deux en abondance[1]. Il refuse de toucher son salaire de maire, et explique qu'il n'a pas été élu « pour sa popularité »[2]. Il est donc libre d'agir comme il l'entend. Sans retenue, et pour sauver sa ville.

Le budget de la ville, d'un montant de 3,6 milliards de dollars, est en déficit de 300 millions ? Le maire propose d'amputer un cinquième de ses dépenses (700 millions d'économies annuelles).

La ville, étendue sur une gigantesque surface de 200 kilomètres carrés, se vide de sa population, les maisons sont abandonnées ? Le maire décide la démolition de

---

1. L'un des 50 meilleurs joueurs de baskets de tous les temps (*NBA's 50 Greatest players*), il arrête le basket en 1978 et monte à partir de rien une entreprise sidérurgique en 1980, générant un chiffre d'affaires de 60 millions de dollars aujourd'hui.

2. « *I didn't take this job based on popularity* » : interview du *Wall Street Journal*, 19 décembre 2009.

trois mille immeubles dès la première année de son mandat, et promet d'en détruire sept mille de plus d'ici la fin de son mandat. *Idem* pour les écoles : 45 seront fermées en cinq ans (soit une école sur quatre, dont l'école pour les jeunes filles mères, la Catherine Ferguson Academy). Au lieu de tenter de faire revivre des quartiers abandonnés (on estime que le tiers des logements de Detroit sont vides), on concentre les efforts financiers sur quelques zones prioritaires.

La ville est paralysée par ce que le maire Bing appelle une culture des droits acquis (*entitlement*) ? Il oblige dans un premier temps les employés municipaux non syndiqués à baisser leurs salaires de 10 %, et d'accepter de prendre des congés sans soldes de plusieurs semaines (*unpaid furloughs*). Ayant obtenu ce premier résultat, il se tourne ensuite vers les employés syndiqués pour les contraindre à faire de même. Il en va de la survie de sa ville, et tant pis si les syndicats l'assignent en justice pour cette raison. Il n'en a que faire : il sait que le temps joue contre la ville, et parie sur le soutien de la population, quelles que soient les épreuves à traverser pour arriver au redressement. Il tente aussi une forme de rééducation de la culture municipale : les entreprises privées, supportant l'un des taux d'impôt les plus élevés de tous les Etats-Unis, ne sont pas les « ennemis » de la ville, mais bien la source de la richesse et des emplois futurs ; (« *that's where wealth come from, and for too long we've treated them like enemies* »).

La ville vivait de l'industrie automobile ? On tire un trait sur le passé. Ces jobs-là ne reviendront pas. Plutôt que de se lamenter, ou de tenter de les protéger de façon artificielle – ce qu'a fait Detroit depuis des décennies –, il convient d'aller les chercher dans d'autres secteurs. «Nous pouvons être la capitale de l'entertainment du Midwest», proclame le maire, s'appuyant sur la présence croissante et récente de casinos [1] à Detroit, et aussi sur ses équipes de sport, et sa tradition musicale («Hitsville»).

Conclusion de Dave Bing, après avoir licencié des centaines d'employés municipaux et ordonné la destruction de milliers d'immeubles : «Nous avons une chance historique de pouvoir réinventer Detroit.»

Detroit, capitale de l'optimisme, ou du sado-masochisme? Ni l'un ni l'autre. A l'image de toute l'Amérique, Detroit est d'abord pragmatique. Quand les modèles anciens ne fonctionnent plus, on les jette à la poubelle. Si le passé devient trop encombrant, on le solde, et on part refaire sa vie, ailleurs ou autrement. Les habitants de Detroit en fournissent un exemple saisissant, en s'adonnant à une drôle de pratique : l'abandon de leurs maisons, et l'abandon de leurs dettes.

Les habitants de Detroit, *médailles d'or des* foreclosures

Pendant la crise financière, et encore aujourd'hui, les *foreclosures*, ou saisies immobilières, se sont multipliées sur

---

1. Ironie du sort et de l'actualité de la crise grecque, un haut lieu de l'*entertainment* à Detroit est le quartier de… Greektown. De loin le quartier le plus dynamique de Downtown Detroit, où il y a le plus de circulation automobile et piétonne, autour des casinos notamment.

tout le territoire américain, et particulièrement à Detroit. Depuis le début de la crise immobilière de 2007, on dénombre entre deux et trois millions de maisons saisies par les banques tous les ans, parce que leurs propriétaires ne pouvaient plus rembourser leurs prêts immobiliers. Ce phénomène (équivalent à 500 000 saisies immobilières annuelles dans un pays grand comme la France) est presque banal en Amérique. A cela, une raison culturelle et juridique. Les banques américaines sont moins intéressées par le patrimoine que vous mettez dans une acquisition immobilière (le patrimoine, c'est du passé, cela ne vaut pas grand-chose) que par votre capacité à générer à l'avenir des revenus importants (votre crédit). Il n'est donc pas rare de voir des maisons financées à 90 voire 100 % par des dettes.

Or, la crise immobilière récente a été tellement profonde que le quart des foyers américains[1] se sont retrouvés avec des maisons dont la valeur marchande était très inférieure au montant de la dette qu'ils devaient rembourser pour en devenir pleinement propriétaires. Cette situation, assez désagréable, s'appelle en américain *under water* : être sous l'eau. Une situation de faillite personnelle virtuelle, les passifs étant supérieurs aux actifs.

Est-ce un drame en Amérique ? Si vous abandonnez votre maison, et la dette qui y est attachée, à votre banque, vous ne risquez pas grand-chose sur le plan juridique. Personne ne viendra réclamer cet impayé, encore moins chercher à vous mettre en prison : la

---

1. 10,7 millions de foyers américains à la fin de 2009. Source First American CoreLogic.

banque a pris son risque en vous prêtant de l'argent ; tant pis pour elle. Sa seule mesure de rétorsion est de vous marquer au fer rouge des mauvais emprunteurs, et de vendre la maison à un prix limitant la perte.

So what ? Pour des millions d'Américains, l'arbitrage était simple : couler en essayant de rembourser une maison dépréciée ; ou lâcher sa maison dans laquelle on avait placé un apport financier minimal, prendre une location, et profiter des économies ainsi faites pour... consommer davantage ! Par millions, et sans sous-estimer les drames familiaux et sociaux que cela représente, et qui continuent d'hypothéquer la capacité de rebond durable de l'économie américaine, des Américains se lancèrent ainsi dans un sport d'un genre nouveau : « *keys in the mailbox* ». On jette les clés dans sa boîte aux lettres, et on quitte sa maison. Quand au crédit, le passé étant d'une valeur très relative en Amérique, ces mauvais emprunteurs auront tout le temps de le restaurer, en allant faire fortune ou en gagnant mieux leur vie ailleurs. Ce phénomène économique, statistique et social, est déroutant pour l'esprit, et particulièrement pour un esprit européen.

Sur place, le résultat de cet abandon de maisons n'est pas beau à voir. Des allées de maisons abandonnées, détruites, effondrées – ou sur le point de l'être – parfois brûlées. Detroit, en 2008, détenait le taux de saisies immobilières le plus élevé de tous les Etats-Unis (une maison sur vingt).

Tant pis pour le voisinage de ces maisons abandonnées. Mais tant mieux pour les individus et la croissance américaine ! Ainsi débarrassés du fardeau de leurs dettes, un nombre indéfini de ces Américains ont pu repartir « à zéro ». Et n'ayant plus de mensualités à rembourser, pourquoi ne pas s'acheter une voiture neuve, une télévision à écran plat, ou aller plus souvent au restaurant ? Ce phénomène d'abandon de créances semblait jouer un rôle important derrière les chiffres plus forts qu'attendus de la reprise économique américaine au printemps 2010.

En toute logique, l'autre victime de cette politique d'abandon de créances aurait dû être le système bancaire américain, qui a imprudemment consenti des prêts au mauvais endroit, au mauvais moment et aux mauvaises personnes. Telle était l'angoisse des années 2007-2008 : les banques allaient-elles s'effondrer sous le poids de leurs mauvaises créances ?

On connaît aujourd'hui les moyens que les banques ont déployés pour éviter cet effondrement, et dont on anticipe qu'ils seront réutilisés dès que l'occasion s'en présentera. D'abord, on ventile les pertes à des tiers à travers des produits dérivés : tant pis, ou tant mieux si parmi ces tiers se trouvent des banques européennes et asiatiques, des fonds souverains moyen-orientaux, des fortunes privées sud-américaines ; ils ont voulu jouer sur le marché américain, ils ont appris leur leçon *the hard way*. Ensuite, on laisse le gouvernement américain renflouer les pertes. C'est la stratégie efficace du *bail out*. A ceci près que *bail out* signifie littéralement payer sa caution pour sortir de prison. Or les banques américaines n'ont rien payé pour sortir de leur situation de faillite virtuelle. La facture est partie aggraver le déficit public américain.

Cette méthode radicale et efficace − abandonner ses

créances sans en payer le prix – a été employée à grande échelle par l'autre grand acteur de la réinvention de Detroit : il s'agit du premier employeur de la ville, à savoir le gouvernement fédéral, à travers ses nouvelles filiales automobiles : General Motors et Chrysler.

General Motors, une faillite sponsorisée par le gouvernement fédéral

Le 1er juin 2009, General Motors se plaçait sous la protection juridique du chapitre 11 du Code américain des faillites (*US Bankruptcy Code*) : une procédure de sauvegarde mettant la société sous le contrôle de la justice américaine (en l'occurrence la Manhattan New York Federal Bankruptcy Court). A charge pour l'institution judiciaire de renégocier sa dette, afin que la société puisse continuer ses activités. Ce point est central, et très différent du droit européen : la priorité n'est pas le remboursement intégral des créanciers ; la priorité est la survie de l'entreprise. Tant pis si les créanciers doivent perdre 20, 30, 50 % de leurs créances (on appelle cela un *haircut*, comme une coupe de cheveux) : l'essentiel est que la vie continue.

Différence culturelle fondamentale avec l'Europe, entre autres : aux Etats-Unis, la dette n'est pas une obligation morale, voire physique, pouvant aller jusqu'à la privation de liberté si elle n'est pas honorée ; la dette est un contrat entre deux parties. Renégociable à tout moment.

Lorsque les créanciers n'arrivent pas à s'entendre, en dernière extrémité, la société est liquidée. Pour mettre tout le monde d'accord concernant General Motors (et ses centaines de milliers d'employés, retraités, ainsi que ses fournisseurs), le gouvernement fédéral prit les choses en main. Il fit plusieurs chèques d'un montant total d'une soixantaine de milliards de dollars, payant au prix fort divers chantages de quelques *hedge funds* ayant auparavant flairé la bonne affaire[1], et, avec le concours du gouvernement canadien, permit à General Motors d'apurer son bilan en un temps record (40 jours). Ecrasé par un fardeau de près de 100 milliards de dettes (représentant 2,5 milliards de dollars de paiements annuels en intérêts financiers en 2008), GM se retrouva du jour au lendemain avec une dette divisée par six (17 milliards de dollars).

Contrepartie de ce « cadeau » du gouvernement américain : un plan drastique, et trop longtemps différé, d'économies. Six mois seulement après sa procédure de sauvegarde, GM annonçait avoir réduit ses coûts d'exploitation de plus de 10 milliards de dollars par an : fermetures d'usines, suppressions massives de concessionnaires, réduction du nombre de marques et de modèles à vendre, etc. GM, hier obèse et incapable de se mouvoir, taillait dans le gras, retrouvait ses muscles et sa capacité à se battre dans un marché mondial compétitif. Pour y arriver, il fallait pleinement associer au devenir de la société un acteur qui avait été jusque-là son fossoyeur : le syndicat UAW. N'ayant pas d'autre choix que de participer ou de devenir responsables de la faillite de GM, le syndicat UAW, *volens nolens*, devint le deuxième

---

1. Article du *Wall Street Journal* paru le 11 juin 2009, intitulé « How Traders Killed Value Investing ».

actionnaire de GM avec 27 % du capital, les gouvernements canadien et américain en détenant 73 %.

Les résultats furent au rendez-vous : en avril 2010, GM remboursait avec cinq ans d'avance un prêt de 6,7 milliards de dollars, rapprochait ses comptes de l'équilibre et s'apprêtait à se réintroduire en Bourse, profitant de marchés financiers dopés par l'excès de liquidités dans le monde.

Miracle ou tour de passe-passe ? Est-ce si simple aux Etats-Unis d'effacer des milliards de dollars de dettes ? Lorsque le gouvernement américain est dans le coup, la réponse est clairement : oui.

J'étais étonné de voir à quel point le rôle du gouvernement fédéral était un non-sujet pour mes interlocuteurs, à Detroit. « La dette ? C'est leur problème, maintenant. Ce n'est plus le nôtre. » Comme si tout le jeu de l'économie, et le jeu de la vie, consistait à transférer son problème chez le voisin. Surtout, ne pas garder les problèmes, les difficultés avec soi. « *Spill it out* » : l'enjeu n'est pas de rembourser sa dette, mais de la recracher et de la passer à son voisin. Comme un virus.

Pendant mes trois années américaines, le gouvernement fédéral, sous George W. Bush comme Barack Obama, a eu bon dos. Il n'a eu de cesse de prendre à sa charge, avec la Réserve fédérale, les créances pourries que plus personne ne pouvait rembourser : les dizaines de milliards d'impayés des constructeurs automobiles (Chrysler, GM) s'ajoutaient aux centaines de milliards d'impayés des institutions financières américaines (Lehman Brothers, Washington Mutual, AIG, Fannie Mae, Freddie Mac).

La prochaine vague des défauts, et des reprises de dettes par le gouvernement féderal, est déjà annoncée : il s'agit des dettes des municipalités, comme Detroit, et des Etats, comme la Californie, incapables de boucler leurs budgets (environ 300 milliards de dollars de déficits annuels pour les 50 Etats réunis[1], en 2009 et 2010). Et encore moins capables de financer les retraites de leurs employés actuels et futurs. Le Pew Center on the States estime à 1 000 milliards de dollars le manque de financement sur les retraites.

Ce qui a marché pour Wall Street et General Motors, devrait marcher pour les villes et Etats de l'Amérique : il faut s'attendre à un nouveau transfert massif de dettes vers le gouvernement fédéral.

Le maire de Detroit, Dave Bing, a parfaitement compris l'exemple donné par la faillite de GM, et le rôle de banquier au crédit illimité du gouvernement américain. Il n'hésite donc pas à envisager, publiquement et dans ses négociations avec les syndicats, l'éventualité d'une mise en redressement judiciaire[2] de Detroit. Cette procédure revêt de nombreux avantages pour le maire Bing, à commencer par celui de rendre caducs, d'un trait de plume, tous les contrats liant la municipalité avec ses fournisseurs. Et ses employés, qui ont un choix simple à faire : couper une partie de leurs salaires, ou perdre leur emploi.

---

1. Source : National Conference of State Legislatures, cité dans *Time Magazine*, juin 2010.
2. En droit américain des faillites, c'est un « *Chapter 9* », équivalent du *Chapter 11* pour les sociétés.

Par ailleurs, Dave Bing, visiteur régulier à la Maison-Blanche, répète sans cesse qu'il ne pourra rien accomplir à Detroit sans le soutien financier déterminé du gouvernement fédéral. Il rejoint en cela la cohorte des maires des grandes villes américaines au bord de la faillite, à commencer par New York (près de 5 milliards de dollars de déficits, 6 400 emplois supprimés annoncés), Phoenix et Los Angeles (entre 250 et 500 millions de dollars de déficits), ou encore Philadelphie. La pression sur le gouvernement fédéral est d'autant plus forte que le Congrès a pris le relais de ces revendications. Le représentant californien George Miller propose ainsi une loi « *Local Jobs for America Act* » qui permettrait de financer des emplois municipaux vitaux pour ces agglomérations. Pour la modique somme de 75 milliards de dollars, non financée par une quelconque assiette fiscale, donc venant automatiquement aggraver le déficit public américain de cette somme.

Il est bien aimable et efficace, ce gouvernement américain, de tout prendre à son compte, sans broncher. Mais jusqu'où cet exercice de charité peut aller ? Jusqu'à trente, quarante, cinquante mille milliards de dollars d'impayés ? Pourquoi pas cent, deux cent, ou mille milliers de milliards de dollars !

Est-ce qu'à un moment de l'histoire, quelqu'un va se résoudre à payer cette gigantesque facture, pour solde de tous les comptes désordonnés de l'Amérique ? Les Américains eux-mêmes pourront-ils le faire ?

Ou est-ce les autres ? Ceux qui sont toujours au bout de la chaîne des turpitudes de l'Amérique ? A savoir nous, le reste du monde.

La descente aux enfers :
Broadway

« And I encourage you all to go shopping
more ».

GEORGE W. BUSH,
après les attentats du 11 septembre

*Manhattan, 7ᵉ Avenue, entre Central Park West
et Times Square, fin mai 2010*

Lorsque l'on revient trop souvent dans un même
endroit, il est temps d'en partir. Cet après-midi de
mai 2010, je descends la 7ᵉ Avenue, abasourdi après
avoir assisté à une conférence financière, sous les hauts
plafonds d'un club privé à Midtown. Je me souviens très
bien de ce club : j'y avais assisté à une autre conférence
au plus fort de la crise, début décembre 2008. Une
ambiance de fin du monde régnait autour des tables. Le
keynote speaker, l'intervenant le plus important de la
conférence, y avait fait l'apologie d'une valeur pas très
glamour : l'or. Bien vu : dix-huit mois plus tard, la valeur
de l'or, mesurée en dollar, avait augmenté de 62 %.

Autrement formulé : la valeur du dollar, mesurée en or, avait fondu. Son raisonnement à l'époque était très simple : nous étions dans la crise du siècle, plus personne ne pouvait avoir confiance dans le système financier mondial, encore moins dans des Etats incapables d'équilibrer leurs budgets. Il fallait donc mettre ses économies à l'abri : l'or, la pierre, les œuvres d'art. Tout, sauf l'économie et la finance américaines, qui s'effondraient alors sous nos yeux.

Dix-huit mois plus tard, je retrouve le même décor, et à peu près les mêmes personnes : investisseurs, banquiers, analystes, directeurs financiers venus écouter les oracles de la pythie du moment – un banquier d'affaires américain, globe-trotter, spécialiste des marchés émergents. L'ambiance, elle, a radicalement changé. L'économie américaine semble alors repartie sur les chapeaux de roue. Tous les indicateurs ont tourné au vert, dans le courant de ce printemps 2010. A New York, les recrutements dans la finance sont repartis à toute allure. Dominique, le dirigeant de la banque européenne cité précédemment, recrute 350 personnes après en avoir licencié 300 dix-huit mois plus tôt : un coup d'accordéon classique, à l'américaine. D'un naturel plutôt prudent, il ne se pose aucune question sur la solidité de la reprise dans ses marchés. La seule chose qui le préoccupe, c'est l'inflation des salaires : les banques américaines proposent des rémunérations (bonus garantis inclus) bien supérieures à celles précédant la crise. Le reste de l'économie est à l'unisson : hausse fulgurante de la consommation, qu'il s'agisse d'automobiles, de parfums, d'accessoires pour chiens et chats[1] et autres produits essentiels à la survie de l'espèce humaine.

Ai-je rêvé ? Que s'est-il donc passé dix-huit mois plus tôt ? La faillite de Lehman Brothers était-elle une plaisanterie ? Les huit millions de chômeurs supplémentaires en 2008 et 2009 étaient-ils une illusion statistique ? Les Américains sont-ils forts à ce point-là ? Certes, de Detroit à Nogales en passant par Washington DC, West Point et la Californie, j'ai pu mesurer la force de rebond et de réactivité de l'Amérique. Mais, si vite, si fort ? Le miracle américain ne cache-t-il pas une réalité inavouable, à l'image des dopés du Tour de France ?

En écoutant le *keynote speaker*, j'essaie de mettre de l'ordre dans mes questions, de donner du sens à ce tour de prestidigitation. Il me fatigue, ce banquier. A l'instar de TOUS les grands médias américains depuis très exactement deux mois, il s'adonne au sport à la mode, en ce printemps 2010 : le tir à vue sur les économies européennes. Si c'est une campagne médiatique, elle est réussie, et parfaitement bien coordonnée. Reprenant à la virgule près les commentaires et analyses du *Financial Times*, du *Wall Street Journal*, et même du *New York Times*, le voilà qui tire à boulets rouges sur la crise de l'euro, l'explosion imminente de l'Union économique et monétaire européenne, la gabegie des économies espagnole, italienne, portugaise, l'égoïste rigueur allemande, la faillite annoncée de l'Irlande, sans parler de

---

1. Un marché à ne pas négliger aux Etats-Unis : 43 milliards de dollars ont été investis dans le bien-être des *pets*, d'après l'American Pet Products Manufacturers Association, en 2008.

cette douce France (*sweet France*) où l'on ne serait pas
harassé par le travail.

C'est bizarre, cette obsession de l'élite économique
américaine d'accabler l'Europe de tous les maux, depuis
quelques semaines. Pas de quartiers, haro sur le baudet.
Tout le monde y passe, même la Banque centrale européenne, désormais jugée « inflationniste »[1] ! Quelques
semaines plus tôt, assistant à une conférence autour de
Jeff Immelt, patron de General Electric, l'une des entreprises les plus importantes au monde, j'avais eu un sentiment similaire. M. Immelt, par ailleurs un capitaine
d'industrie exceptionnel, avait cogné comme un sourd
sur l'Europe, moquant la Grèce (« un pays dont on n'a
jamais entendu parler pendant deux mille ans »), volant à
la rescousse de Goldman Sachs (comme Warren Buffett),
et recommandant à la Corporate America de resserrer les
rangs[2].

Le mot d'ordre était donné, et se retrouve dans le
discours de ce banquier content de lui, que j'écoute
avec difficulté : l'objectif est bien que l'Amérique rede-
vienne le point d'ancrage, le refuge pour un monde en
pleine crise. « *We have to be viewed as a stable, safe haven.* »

Si c'était de l'humour au second degré, une forme

---

1. De l'hôpital qui se moque de la charité : depuis le début de la crise,
l'homologue américain de la BCE, la Fed, a triplé la taille de son bilan en
rachetant des produits de plus en plus risqués sur le marché.
2. « *This point about damning Wall Street is not good for America [...] the world
needs the US to be a beacon of stability* » (conférence au Y92 le 6 mai 2010). Ce
plaidoyer pro-Wall Street avait d'autant plus intrigué l'audience ce soir-là que
M. Immelt avait refusé un an auparavant de toucher un bonus de 12 millions
de dollars, auquel il avait pourtant droit, au nom de son éthique des affaires, et
de la valeur de l'exemple à donner pour ses pairs.

d'autodérision, ce serait très drôle. Mais non : en ce printemps 2010, l'élite économique américaine joue très
sérieusement une partition dangereuse pour le reste du
monde : faire en sorte que l'Amérique, qui a failli faire
sauter le système financier mondial avec ses *subprimes*,
soit perçue comme le seul référent possible. Une des
conséquences de cette perception, efficacement diffusée
dans les marchés mondiaux et la presse financière, est
évidemment que le monde continue d'investir en Amérique et en dollars, plutôt qu'ailleurs, par exemple en
Europe et en euros.

Le banquier se déchaîne. Il multiplie les jeux de mots
sur les PIIGS[1]. « *Can PIIGS actually fly ?* » Est-ce que les
cochons peuvent voler ? La salle, hilare, de découvrir
une *slide* montrant un dessin de cochons volants bien
dodus, avec des ailes, affublés de leurs noms respectifs :
Portugal, Italie, Irlande, Grèce, Espagne. Selon lui,
l'Europe revit en *live* la chute de l'Empire romain parce
qu'elle est incapable d'avoir une politique fiscale coordonnée – ce banquier a le sens des raccourcis à défaut
d'avoir celui des proportions. Il promet à l'Europe la
misère, la déchéance, des conflits interminables. Rappelle la supériorité ontologique de l'Amérique dans
deux domaines : l'entrepreneuriat, et l'unité de son gouvernement. Et conclut brillamment en expliquant que la
chute de l'euro ne connaîtra pas de fin, que l'Europe
éclatera entre une zone nord (soi-disant disciplinée,

---

1. Portugal, Italie, Irlande, Grèce, Espagne. Et *pigs* signifie « cochons » en
anglais.

rigoureuse) et une zone sud (prétendument latine, donc laxiste).

Avant cette campagne médiatique et institutionnelle visant à déstabiliser l'Europe – à laquelle ont concouru de nombreuses grandes institutions financières américaines, à commencer par tous les fonds spéculant sur la baisse de l'euro[1] – j'accordais un certain crédit à la critique anglo-saxonne des limites et des fautes de certains pays membres de l'Union européenne, certains ayant falsifié leurs comptes publics tandis que d'autres, suivant en cela le mauvais exemple de certains grands pays, laissaient filer leurs déficits publics et se détériorer leur compétitivité économique.

En revanche, en écoutant ce banquier new-yorkais, à l'unisson de la plupart des grands médias américains et de ses confrères à Wall Street, dézinguer mon continent, ma culture et mon pays, déclenchant l'hilarité sans partage de l'assistance, quelque chose en moi me dit que cette Amérique-là non seulement a tort sur le fond, se trompe aussi lourdement qu'elle s'est trompée et a trompé le monde avec la guerre d'Irak, mais mérite d'être remise à sa place, sous peine de nous nuire à nouveau, comme elle l'a fait avec la crise des *subprimes*, et de nuire à l'équilibre du monde.

A défaut d'intervenir pour comparer explicitement les Etats-Unis aux PIIGS, notamment mais pas exclusivement dans le registre de la gabegie financière, je

---

1. MM. Soros (Soros Fund Management LLC), Paulson (Paulson & Co), Einhorn (Greenlight Capital Inc), Cohen (SAC Capital Advisors LP). Source : *Wall Street Journal*, février 2010.

préfère quitter le déjeuner, au milieu de l'intervention de ce banquier-flingueur.

En descendant la 7ᵉ Avenue, les croisements de rue sont comme des stations marquant les étapes de ces trois années de crise américaine que je viens de vivre.

A l'angle de la 7ᵉ et de la 53ᵉ, l'hôtel Sheraton. A l'hiver 2008-2009, je m'étais promené un peu plus bas, vers la 6ᵉ Avenue. Une file d'attente encerclait littéralement l'hôtel, et se dédoublait sur la 6ᵉ Avenue. Plusieurs centaines de personnes de tous âges, des deux sexes et de tous milieux confondus attendaient, dans le froid. Il s'agissait d'une *job fair*, une foire à l'emploi, exclusivement dédiée aux femmes. Une dizaine de postes étaient à pourvoir. Où sont passés les autres, qui n'ont pas été pris ? Font-ils partie des 6 millions de chômeurs de longue durée (1 chômeur sur 2, record historique) que l'Amérique compte en ce mois de juin 2010 ? Ou font-ils partie des 12 millions d'Américains ayant un travail temporaire « non choisi »[1] ? Et s'ils ont un travail à temps plein, combien d'entre eux ont les moyens d'une couverture maladie universelle ? Font-ils partie des quelques *happy few*, ou de la cinquantaine de millions de personnes non assurées contre le risque maladie en Amérique ?

A l'angle de la 7ᵉ Avenue et de la 50ᵉ Rue, le siège de Lehman Brothers brille de mille feux. Je me souviens y

---

1. Personnes qui n'ont pas réussi à trouver autre chose qu'un travail à temps partiel (« *could only find part-time work* ») et personnes travaillant à temps partiel pour des raisons « économiques » (« *part time for economic reasons* »). Source : US Bureau of Labor Statistics, avril 2010.

être allé le jour même de la mise en faillite de cette banque, le 15 septembre 2008. Des salariés repartaient avec des cartons. Certains brûlaient des effigies en papier du dirigeant de l'époque, Dick Fuld. C'était dramatique : la chute de Lehman allait annoncer la chute de la finance mondiale ; la peur était au plus haut sur les marchés ; on commençait à entendre «plus jamais ça». L'antienne est connue : c'est celle des alcooliques. «On ne m'y reprendra plus… je ne peux plus continuer comme cela, *I quit.*» Dix-huit mois plus tard, que sont devenus ces alcooliques, pardon, ces banquiers de marché, qui avaient mis à sac l'économie mondiale à coups de spéculation, de bonus disproportionnés et de chantage à la faillite – le *too big to fail* : je ne peux pas tomber, sinon je fais tomber le monde avec moi ? Ces drogués de l'argent à court terme ont repris du service, plus que jamais. Lehman a changé de nom – Barclays Capital –, de couleur (le siège n'est plus vert, mais bleu électrique) et de slogan («méritez le succès chaque jour» – *earn success every day*). Mais fondamentalement, à l'intérieur, tout est resté en place. En 2010, au titre de 2009, les bonus des 38 premières institutions financières américaines ont été de 146 milliards de dollars, encore plus que les 137 milliards d'avant la crise[1]. Les opérations de fusions-acquisitions, les LBOs, les introductions en Bourse, les spéculations sur toute forme d'actifs (devises, matières premières, obligations d'Etat) battent des records en ce printemps 2010. La cure de désintoxication fut de courte durée.

Je croyais assister à une réinvention de l'Amérique,

---

1. Source : *Wall Street Journal*, janvier 2010.

qui aurait appris de ses fautes et de ses erreurs, et aurait profité de la crise pour s'améliorer, devenir plus forte qu'avant. S'agit-il vraiment d'une réinvention, ou d'un retour à la case départ ? *Same player, shoot again !*

Est-ce que l'Amérique arrivera un jour à se désintoxiquer de ses dollars, de son appétit de dollars ? Contemplant le siège de Barclays Capital, à l'angle de la 49ᵉ, la métaphore de la drogue n'est pas usurpée. Juste derrière moi se trouve le magasin de « vitamines » GNC. Pour l'été qui s'annonce, dans cette chaude journée de juin, ils ont fait fort : le « pack » du jour est énorme – une vraie valise – et s'intitule *Muscle Acceleration Stack Reloaded*. Pour 119,99 dollars, j'ai droit à toute une série de produits *amplified*. Amplified Weybotic Extreme 60°, pour gagner 30 % – ! – de masse musculaire. Amplified Creatine 189. Amplified Muscle Igniter 4x (littéralement : une « mise à feu » de vos muscles !), etc. Le vendeur me demande pourquoi je prends des notes. « Parce que ces produits sont interdits en France, je suis curieux. – Ah, c'est pour cela que les Français sont si frêles (*frail*) ? » me dit cet impressionnant obèse, qui me rappelle furieusement celui de l'Upper West Side. Avant sa chute.

En descendant quelques rues supplémentaires, tout ce que je vois confirme mon analyse : l'Amérique ne s'est pas réinventée, elle a redémarré, dans la même configuration. Comme un ordinateur : après l'Amérique version 2007, voici l'Amérique version 2010. Ses forces sont là. Ses travers, aussi. A partir de la 48ᵉ Rue, je rejoins Broadway. Un déluge de publicités inonde la place, pour des voitures (Taurus, Ford), des boissons alcoolisées ou sucrées (Corona, Coca, Pepsi), des M & M's (un écran géant, à l'angle de la 48ᵉ et de Broadway). De la bouffe, des bagnoles et du fric. A profusion. Face à moi, des chiffres défilent à toute vitesse sur un mur électronique, celui de Reuters, en bas de l'immeuble Morgan Stanley. J'ai à peine le temps de les lire : ils vont trop vite. Il s'agit des cotations boursières du NASDAQ et du New York Stock Exchange (NYSE). Mais quel sens ont ces chiffres-là, aujourd'hui ? Entre mon arrivée à New York à l'été 2007 et début mars 2009, les Bourses du monde entier ont perdu 32 000 milliards de dollars. Et de début mars 2009 jusqu'au 5 mai 2010, elles avaient regagné 20 000 milliards de dollars !

Qu'est-ce que c'est que ce cirque ? Les valeurs des entreprises, des monnaies, des Etats, seraient donc des yoyos avec lesquels on joue, au gré des humeurs et des saisons ? Pour ma part, depuis le 6 mai 2010, je me suis juré de ne plus détenir une action de société cotée aux Etats-Unis. Ce jour-là en effet, les Bourses américaines, NYSE et NASDAQ en tête, ont réussi l'exploit d'égarer, il n'y a pas d'autre mot, mille milliards de dollars en vingt minutes. Un mois après, aucune raison, même officielle, pour la bonne forme, n'a pu être donnée par ces institutions de marché censées compter parmi les plus sophistiquées au monde. A en croire ces « autorités de marché » – tant pis pour l'oxymore – un fâcheux concours de circonstances aurait semé ce jour-là un vent de panique chez les opérateurs humains dans les salles de marché – qui représentent encore un tiers environ des transactions quotidiennes[1]. Or, comme me le confiait deux ans

---

1. Le reste étant constitué d'ordres en *high frequency-trading*.

plus tôt le responsable du *proprietary trading* d'une des grandes banques américaines à Londres, lorsque les marchés sont trop perturbés «je mets en marche le pilotage automatique, sinon mes gars sont trop perturbés par leurs émotions humaines». Un concept intéressant – le pilotage automatique en pleine tempête – que l'on ne suggérera pas aux syndicats de pilotes de ligne, mais qui est devenu une réalité le 6 mai 2010 : les humains paniquards cédèrent leur place aux robots des marchés, capables d'exécuter des transactions en quelques fractions de secondes (le *high-speed trading*), avec le sang-froid d'un logiciel informatique – qu'ils sont. Tels des Frankenstein se retournant goulûment contre leurs créateurs, ces robots s'en donnèrent à cœur joie : en quelques minutes, ils multiplièrent les ordres d'achat et de vente aberrants, mettant au tapis des valeurs stars telles Procter & Gamble et Accenture, notamment. Les dirigeants du NYSE[1] et du NASDAQ, dont on se félicite encore qu'ils ne faisaient pas bombance ou la sieste à ce moment-là, tentèrent non sans difficulté d'arrêter le jeu de massacre. Notamment en ordonnant d'effacer, de façon totalement arbitraire, les ordres de Bourse passés entre 14 h 40 et 15 heures, sur des variations supérieures à plus ou moins 60 %.

Je savais depuis longtemps que la bourse était un casino. Grâce à l'Amérique, je sais désormais que la

---

1. On rappellera ici avec inquiétude, mais aussi un peu de perfidie et une certaine nostalgie, que ces grands professionnels de la Bourse américaine contrôlent et dirigent désormais les Bourses européennes d'Euronext. Feu la Bourse de Paris incluse.

Bourse est un casino où les croupiers sont des robots, capables de disjoncter et de renverser la table à tout moment. Très précisément, à chaque milliseconde, *high-speed trading* oblige. Quels hurluberlus s'amuseraient à continuer de jouer à ces tables, après le 6 mai 2010 ?

Je tourne le dos au mur de chiffres proposé par Reuters – ils ne veulent désormais plus rien dire – et continue ma descente de Broadway.

Tout autour de Times Square, je retrouve les marques de consommation de masse. Les magasins Foot Locker et Toys"R"Us, après quelques trimestres en demi-teinte, battent des records de vente. Un écran électronique m'apprend qu'il existe 32,8 millions de propriétaires de voitures Hyundai dans le monde, et que je ne fais toujours pas partie de cette tribu. Le square ne désemplit pas. C'est donc cela, la réinvention de l'Amérique : on guérit un excès de consommation – destructrice de l'environnement, déformant les corps, transformant nos sociétés en poubelles – par un surcroît de consommation ? Guérir le mal par le mal ?

Comme si ce pays, hier puritain, travailleur, épargnant, ne cherchait plus son salut et sa rédemption que dans le consumérisme à outrance. Tout faire pour augmenter le niveau de consommation des Américains, qui représente pas moins de 10 000 milliards de dollars chaque année, soit les deux tiers de leur PIB. L'Amérique est passée du « *In God we trust* » au « *In shopping we trust* ».

George W. Bush ne s'y était pas trompé : dans les jours qui suivirent le 11 septembre 2001, que déclare-t-il pour galvaniser la nation américaine, l'empêcher de s'effondrer, au moins psychologiquement, sous le choc et l'apprentissage de cette vulnérabilité inattendue ? «Nous allons terroriser les terroristes» ? Non. «Buter les talibans jusque dans les chiottes»[1] ? Pas davantage. Il fallait un slogan de guerre bien plus fort, et plus immédiatement efficace. Ce fut donc : «*Go shopping*». Le message fut reçu cinq sur cinq par les Américains, qui reprirent le chemins des *malls* par devoir patriotique, achetèrent à crédit maisons, voitures, téléviseurs. Ils furent aidés en cela par l'autorité indépendante sur le papier du président de la Fed, le grand prêtre Greenspan, qui s'empressa de baisser les taux d'intérêt dès septembre 2001, créant ainsi un énorme afflux d'argent pas cher qui éclata avec la crise des *subprimes*, et avec les conséquences que l'on sait.

Je regarde le mur d'images des appétissants M & M's, qui vont trouver leur voie dans les tubes digestifs des jeunes Américains. Sait-on que, d'après une enquête du ministère de la Défense américain, 75 % des jeunes Américains de 18 à 24 ans seraient déclarés inaptes à servir sous les drapeaux, du fait de leur délabrement physique (obésité), de la faiblesse de leur niveau scolaire et de leurs casiers judiciaires trop encombrés[2] ? Est-ce que cette jeunesse-là pourra se battre demain pour elle-même, et pour ses alliés ?

---

1. Citations empruntées à Charles Pasqua et Vladimir Poutine.
2. « *75 % of young Americans are ineligible to serve their country because they have either failed to graduate high school, engaged in criminal activity, or are physically or mentally unfit.* » Source : The Lewin Group, 2005, for the US Army Center for Accessions Report, et rapport *Too fat to fight*, Military Leaders for Kids, avril 2010.

Je continue ma descente de Broadway, comme une descente aux enfers. Trop tard pour le purgatoire : l'Amérique, après la crise de 2008, n'a en fait rien purgé de ses excès qui y ont conduit. C'est presque une banalité de l'écrire aujourd'hui : tout est donc en place pour une réédition de cette crise, cette fois-ci à plus grande échelle. Et avec une différence de taille, que je débusque au niveau de la 44ᵉ Rue. Dans cette rue-là, à l'écart des passants, du côté de la 6ᵉ Avenue, cachée par l'angle d'un mur vétuste, une horloge électronique moins glamour que celle de Times Square me fournit une information incommensurable. Ce jour-là, l'horloge affiche 13 127 932 811 535. A mon arrivée trois ans plus tôt, la même horloge affichait 9 145 364 825 479. Soit, si vous me permettez un arrondi, une différence de 4 000 000 000 000. Quatre mille milliards. Evidemment, de dollars. Cette horloge mesure, en temps réel, la dette publique américaine.

Deux choses seulement ont changé depuis mon arrivée à l'été 2007 : le temps, et cette dette, qui augmente chaque jour de près de quatre milliards de dollars. 150 millions de dollars par heure : qui dit mieux ?

Cette Amérique-là se moque donc de la Grèce, de l'Espagne, de l'Italie, de l'Irlande, du Portugal et de leurs dizaines de milliards de dollars en trop. Comme un obèse se moquerait d'une personne rondelette[1].

Treize mille milliards de dollars de dettes, on ne voit

---

1. A titre de comparaison, la dette publique de l'Union européenne était de 8 700 milliards d'euros en 2009, pour un PIB supérieur à celui des Etats-Unis.

pas très bien ce que cela veut dire. C'est en fait beaucoup d'argent, même pour l'Amérique. Pour rembourser tout cet argent, il faudrait que les Américains ferment leur gouvernement, leurs services publics, leur armée, etc., pendant sept ans, et versent chaque année deux mille milliards d'impôts au Trésor américain – ce montant étant le record absolu jamais collecté par le fisc américain, l'IRS, pendant l'année euphorique de 2007.

Ce n'est pas gagné. Les optimistes béats expliquent doctement qu'il suffit que la croissance économique reparte pour que l'Amérique fabrique des excédents budgétaires permettant de rembourser la dette, comme elle le fit lors des dernières années de la présidence Clinton. Ce catéchisme budgétaire (les recettes des impôts augmentent avec l'activité économique) se heurte à la réalité de l'Amérique d'aujourd'hui. En mars 2010, le Congressional Budget Office, sorte de commission parlementaire des finances, organisme indépendant, publiait une analyse critique des projections budgétaires à dix ans formulées par le président Obama. Malgré des hypothèses totalement farfelues[1], le CBO arrive à une conclusion déroutante : dans les dix années à venir, si rien ne change, le gouvernement américain sera incapable d'équilibrer son budget. Pire encore, il fera chaque année un déficit d'environ mille milliards de dol-

---

1. Entre autres, neuf années consécutives de croissance économique supérieure à 4 %, du jamais vu ; une collecte fiscale massive représentant 28 % du PIB, alors qu'elle n'a jamais excédé 20 % aux Etats-Unis, selon la loi dite de Hauser ; les déficits additionnels nés de la réforme de la santé non comptabilisées, etc.

lars, en moyenne : en 2020, dix mille milliards de dollars viendront s'ajouter aux treize mille milliards de dollars de dette actuelle. Si l'on met de côté environ quatre mille milliards de dollars de dette intragouvernementale [1] – on n'est plus à un millier de milliard de dollars près –, cela fait environ vingt mille milliards de dollars de dettes que le gouvernement américain devra rembourser à ses créanciers : les entreprises et les particuliers américains pour une moitié, le reste du monde pour l'autre moitié [2].

Vingt mille milliards de dollars à rembourser en 2020 ! Cela représente un siècle de salaires pour toute la fonction publique française [3]. Et ce n'est qu'un début. Comme les Américains ne font jamais les choses à moitié, ils ont construit, au fil des années, une autre dette encore plus incommensurable. Il s'agit des retraites et pensions non financées aujourd'hui (*unfunded liabilities*), mesurées par l'écart entre les engagements des Etats et collectivités publiques pour financer les grands programmes sociaux de l'Amérique (Medicare, retraites) et ce qui a été mis de côté pour honorer ces promesses. Le chiffre a été dévoilé lors d'une campagne de presse de la Peter Peterson Foundation en 2009, représentant un petit iceberg au-dessus de l'eau (la dette connue) et sa partie immergée – monstrueuse : les engagements de retraites non

---

1. Tel ministère qui achète des obligations américaines, ou qui prête de l'argent à un autre ministère.
2. Très exactement 54 % détenus par les résidents américains, 46 % par les non-résidents. Source : Trésor américain, estimations à fin juin 2010.
3. Calculé à partir des montants du budget 2009 de l'Etat français.

financés. Cinquante-six mille milliards de dollars. Le montant est facile à retenir : il s'agissait alors de quasiment toute la richesse produite en un an par la planète Terre[1] !

56 + 20 = 76 000 milliards de dollars de dette publique future pour l'Amérique. Pas mal, mais peut mieux faire.

Rajoutons à ce montant le niveau des dettes privées des Américains – je ne prends pas en compte les dettes des entreprises privées, ces dernières étant présumées solvables jusqu'à preuve du contraire[2]. Les dettes privées des Américains sont essentiellement de deux sortes : leurs emprunts immobiliers – dix mille milliards de dollars, et leurs divers crédits à la consommation – deux mille quatre cents milliards de dollars[3].

76 + 10 + 2 = 88 000 milliards de dollars. Rajoutons une marge d'erreur de 5 %, plutôt à la hausse compte tenu des hypothèses irréalistes (cf. plus haut) concernant le budget fédéral américain dans les dix années à venir, et nous arrivons à 92 000 milliards de dollars.

Est-ce que l'Amérique peut atteindre les cent mille milliards de dollars de dettes ? Rien de plus facile. Il suffit qu'un jour où l'autre, poussé par les événements, M. Ben Bernanke, président de la Réserve fédérale

---

1. PIB de 182 pays, mesurés par le FMI pour 2008 : 58 000 milliards de dollars en 2009.

2. Début 2010, le taux de défaut des entreprises américaines, mesuré par Standard & Poor's, était de 10 % (source : Standard & Poor's, mars 2010).

3. Source : Federal Reserve, mars 2010. Les Américains détenteurs de cartes de crédit détiennent en moyenne 3,5 cartes de crédit par personne (source: « The Survey of Consumer Payment Choice », Federal Reserve Bank of Boston, janvier 2010).

Américaine, se résigne à augmenter le taux d'intérêt dit
« directeur » de la Réserve fédérale, et le tour sera joué.

Actuellement, pour ne pas « casser la reprise économique » – traduction : pour financer la fuite en avant de
l'Amérique dans l'excès de consommation, et ses opérations militaires en Afghanistan et en Irak – la Réserve
fédérale américaine a souverainement décidé que les
taux d'intérêt, le « loyer de l'argent », devaient être quasi
nuls[1]. Cette politique d'argent facile, voire d'« argent
gratuit » – cela ne coûte presque rien d'emprunter de
l'argent à la Fed, pour ceux qui y sont autorisés, à savoir
les banques –, a de nombreuses vertus que nous venons
de décrire : « *go shopping* », et *God* reconnaîtra les siens.
Une autre vertu est un peu plus vicieuse : avec des taux
d'intérêt aussi faibles, les créanciers de l'Amérique
(Chine, Japon, pays du Moyen-Orient en tête, mais *in
fine* le monde entier) ne touchent quasiment aucun intérêt sur les prêts qu'ils ont consentis à l'Amérique. Pain
bénit pour cette dernière : en 2009, le service de la dette,
c'est-à-dire les intérêts que le gouvernement fédéral paie
pour sa dette, n'était « que » de 383 milliards de dollars
par an. Un montant équivalent à plus de la moitié du
budget de la Défense américaine, qui n'est pas exactement lilliputien : 650 milliards de dollars en 2009[2].
Le jour où l'Amérique devra payer, non pas epsilon de
taux d'intérêt sur ses 20 000 milliards de dollars de dette

1. Depuis fin 2008, le taux directeur de la Fed doit être compris entre 0 et
0,25 %.
2. Source : Trésor américain et Département de la Défense.

publique, mais, disons 5 %, que se passera-t-il ? Chaque année, le déficit augmentera très exactement de mille milliards de dollars supplémentaires : le nouveau montant de la charge de son emprunt. Ce qui représente aussi la moitié de tous les impôts collectés, dans les bonnes années, par le fisc américain ! Jean Peyrelevade, qui s'y connaît en termes de faillites financières, pour l'avoir évitée au Crédit lyonnais, me disait en juin 2010 que « tant que l'on peut payer les intérêts de sa dette, on est tranquille ». Il apparaît clairement que, lorsque les taux d'intérêt commenceront de remonter, ce moment de « tranquillité » sera derrière l'Amérique.

Avant la fin de cette décennie, l'Amérique aura donc une dette de plus de cent mille milliards de dollars. Qui dit mieux ? Personne, ou presque : dès le mois de mai 2008, le très clairvoyant Richard Fisher, président de la Réserve fédérale de Dallas, estimait que les engagements non financés de l'Amérique s'élevaient à plus de 99 000 milliards de dollars[1].

Est-ce que l'Amérique peut rembourser une telle somme ? La réponse est évidemment négative.

Quand bien même les Américains décideraient dans un élan patriotique de donner tous leurs patrimoines pour rembourser cette dette, ils n'y arriveraient pas : la somme de ces patrimoines n'est « que » de 58 000 milliards de dollars (Fed). Quand les passifs sont près de deux fois supérieurs aux actifs, ne doit-on pas parler d'une faillite ?

---

1. Discours devant le Commonwealth Club of California, San Francisco : « *Add together the unfunded liabilities from Medicare and Social Security, and it comes to $99.2 trillion over the infinite horizon.* »

Qui va donc payer pour ce pot cassé de dizaines de milliers de milliards de dollars, cette ardoise *jumbo-size*? L'Amérique ? Ce serait bien mal la connaître. Elle n'est pas si stupide au point de se tuer à essayer de rembourser sa dette et de réparer ses erreurs. Le monde est là pour ça. Et si, après avoir donné la totalité de leurs patrimoines existants, les ménages américains, pour rembourser le solde de leurs dettes publiques et privées, se mettaient à épargner un sixième (15 %) de leurs revenus, comme des Français, des Allemands, des Italiens – ou des Japonais juste après le krach des marchés immobiliers et boursiers nippons en 1989 ? On peut toujours rêver : le taux d'épargne des ménages américains, après avoir été négatif (*sic*) avant la crise des *subprimes*, s'est péniblement hissé à 6 % au printemps 2009, avant de retomber autour de 3-4 % au moment où ce livre est publié. Non, décidément, malgré «la crise du siècle» de 2008, les Américains ne semblent pas vouloir se donner les moyens de rembourser leurs dettes eux-mêmes.

Or, sans escamoter un débat philosophique intéressant (doit-on VRAIMENT rembourser ses dettes ?), on soulignera qu'une dette ne meurt jamais, contrairement aux êtres humains. Notre incapacité à rembourser nos dettes de notre vivant se transforme donc en passif pour nos enfants, ou pour les générations futures. Ou pour nos voisins. A part le Jubilé[1] que Dieu ordonne aux

---

1. Lévitique, chap. 25: par l'intermédiaire de Moïse, Dieu, qui connaît la propension des êtres humains à se réduire en esclavage les uns aux autres, ordonne aux hommes de s'effacer leurs dettes mutuelles, et de reprendre leur liberté, tous les 49 ans.

hommes, les remises de dettes n'existent que dans des cas extrêmes, et l'histoire enseigne qu'elles sont rarement synonymes de paix et de prospérité générales accrues.

Quatre scénarios pour l'Enfer

« La meilleure manière de détruire le système
capitaliste est d'avilir sa monnaie. »

Lénine, cité par John Maynard Keynes
dans *Les Conséquences économiques de la paix* (1919)

Waldorf Astoria, New York, juin 2010

J'attends mon rendez-vous à une table du bar du
Waldorf Astoria. Il ne me reste plus que quelques
semaines à vivre et travailler aux Etats-Unis. Quelques
semaines pour tenter de comprendre comment l'Amérique va se débarrasser de cette vilaine ardoise de plusieurs dizaines de milliers de milliards de dollars.

Puisqu'il apparaît de plus en plus nettement que
l'Amérique n'a pas les moyens de rembourser une telle
somme, que peut-elle faire, concrètement ? Et quelles
vont être les conséquences pour nous, le reste du
monde ?

C'est en effet un sujet de préoccupation assez uni-
versel. S'il n'est pas sûr que « nous sommes tous

Américains », il est en revanche certain que nous sommes tous des créanciers de l'Amérique. Nous détenons tous, directement ou indirectement, sans que nous l'ayons vraiment choisi, des morceaux de dettes de l'Amérique. C'est le dollar et lui seul qui achète, sur les marchés mondiaux, le pétrole, le gaz, les matières premières, les denrées agricoles, les avions. Il est la monnaie de réserve archi-dominante des Banques centrales du monde entier, représentant près des deux tiers[1] des réserves de change officielles.

Il est le cœur de notre système économique et financier mondial. S'il cesse de fonctionner, si la valeur qu'on veut bien lui *prêter*, si le *crédit* que l'on veut bien lui accorder, disparaît, alors c'est la crise cardiaque. L'effondrement instantané de toutes les richesses de notre planète, mesurées et échangées avec ce petit bout de papier, ou les signes électroniques qui le représentent (à la banque, sur les marchés financiers). Or, si l'on regarde d'un peu près[2] ce billet vert, quelle garantie offre-t-il sur la véracité de sa valeur ? Au-delà de ses devises en latin, ses fioritures compliquées mélangeant références historiques et symboles chrétiens et maçonniques, il offre deux garanties, et deux seulement : d'une part, la signature du Secrétaire d'Etat au Trésor américain, Tim Geithner ; d'autre part, la fameuse devise « *In God we trust* ». Loin d'être un hymne à la gloire de Dieu, cette

---

1. 61 % au premier trimestre 2010. Source : FMI, base de données COFER.
2. Voir www.etatsunisdeurope.com pour une description minutieuse et un historique du dollar, du XVIe siècle à nos jours.

mention résonne comme un appel, singulièrement outrecuidant, à la responsabilité divine : « Attention, cher *God*, nous comptons bien sur vous pour honorer votre signature. »

La signature de Timothy Geithner, l'ancien président de la Banque fédérale de New York avant et pendant la crise des *subprimes* (et qui a notoirement laissé passer tous les trains de la crise, de Citigroup à AIG, Bear Stearns, etc.[1]), et un appel aux puissances d'en haut : n'est-ce pas un peu court, pour garantir que le Trésor américain remboursera ses dizaines de milliers de milliards de dollars ? Certains le pensent, et n'hésitent pas à le dire sans ménagement à l'Amérique. J'en ai été le témoin accidentel, très précisément ici, au Waldorf Astoria où je me trouve. Mais un an plus tôt, le 22 septembre 2009, à la veille du sommet du G20 de Pittsburgh.

Dans les coulisses d'un meeting avec M. Brown

Le Premier ministre britannique Gordon Brown m'avait convié à une réunion informelle, dans une salle du Waldorf Astoria. Il avait réuni une demi-douzaine d'économistes et de financiers new-yorkais, afin de leur présenter la réponse de la Grande-Bretagne face à la crise

---

1. On n'accablera pas ici gratuitement M. Geithner, mais l'on renverra à deux documents assez contrastés sur son *track-record* : une enquête du *New York Times* le 26 avril 2010 décryptant ses liens étroits avec les grandes banques privées américaines – très probablement ses futurs employeurs ; et d'autre part, la leçon d'orthodoxie financière qu'il a cru bon de donner aux Européens lors d'un voyage en mai 2010 (voir la lettre adressée au G20 le 3 mai 2010).

financière du siècle. Ayant coordonné les travaux d'un *think tank* français formulant des propositions précédant les sommets du G20 en 2009[1], je devais sans doute cette invitation à la recommandation finale de notre étude (qui n'a hélas pas été retenue) : nommer un haut dirigeant britannique, connu du monde entier et europhile, à la présidence de l'Union européenne[2]. La candidature de M. Van Rompuy eut raison de cette ambition saugrenue.

Les règles de confidentialité m'empêchent de dévoiler la teneur de ces échanges tenus à huis clos avec M. Brown. Je m'interdis donc de rendre hommage à sa formidable capacité à promouvoir la *special relationship* entre les Etats-Unis et la Grande-Bretagne, les intérêts de l'économie britannique, et à défendre les intérêts de la City, contre vents et marées, et même contre les intérêts de l'Union européenne. Mais l'essentiel n'était pas là. Il était dans les minutes qui ont précédé cette réunion.

Je m'étais présenté dans le hall du Waldorf Astoria, quelques minutes avant 11 heures. L'invitation précisait que la réunion aurait lieu dans une salle du 18e étage. Je prends le premier ascenseur venu, et monte. La porte s'ouvre. Je fais à peine un pas, et me voici entouré de trois agents de sécurité américains. Menaçants. « *What are you doing here, Sir ?* » Je m'entends répondre machinale-

---

1. Notes de l'Institut Montaigne de mars 2009 (« Reconstruire la finance pour relancer l'économie ») et septembre 2009 (« Entre G2 et G20, l'Europe face à la crise financière ») : www.institutmontaigne.org

2. Des personnalités telles que Chris Patten, l'ex-gouverneur de Hong Kong, et particulièrement au fait des ambitions et méthodes de la Chine, n'auraient pas desservi l'Europe.

ment. « *I have a meeting with Mr. Brown.* » Les officiers de sécurité se passent l'information : « *Brown... he is looking for a Mr. Brown... yeah, that's what he says... what do we DO with him ?* »

Vexé, et un peu inquiet, je précise : « *Prime Minister Brown. I have a meeting with him at 11.* » Renseignement pris, mon officier traitant me répond, légèrement plus aimable : « Le Premier ministre Brown est bien à cet étage, mais dans l'autre aile. Vous vous êtes trompé d'ascenseur. Il faut redescendre, mais pas tout de suite. »

Ah bon, pourquoi ? « *Because the President is on his way. Please step aside.* »

A ce moment-là, je vois Barack Obama sortir, seul et le premier, d'une salle de réunion à quelques pas de là. Il est entouré d'une huitaine d'officiers de sécurité. Il est pressé par le temps. Soucieux. Nous sommes à la veille du troisième sommet du G20, et si les marchés financiers étaient déjà repartis dans l'euphorie, l'économie américaine, elle, était encore en pleine récession, et venait de détruire, dans les onze mois qui ont suivi son élection, plusieurs millions d'emplois. Barack Obama avait de quoi être préoccupé. D'autant plus que les déficits budgétaires américains, creusés par la crise financière, grimpaient en flèche.

Barack Obama engouffre sa silhouette svelte et aérienne dans l'ascenseur. Mine tendue, crispée.

Qui donc lui avait fait passer un si mauvais moment, à quelques heures du G20 ? La réponse ne se fit pas attendre : quelques secondes après le départ du président Obama, une nuée d'agents de sécurité chinois se répandit dans tout l'étage, obligeant les officiers de sécurité américains à s'écarter, non sans grommeler. Alors, d'un pas lent et décidé, sourire aux lèvres, M. Hu Jintao, président de la République populaire de Chine, apparut. Il prit même le temps de me regarder, contrairement à Barack Obama.

Scène stupéfiante. Pendant qu'au même moment, les dix-huit membres du G20 vaquaient à leurs occupations (M. Brown en vendant l'économie britannique à des investisseurs, le président Sarkozy en faisant un meeting politique avec la communauté des expatriés français), les dirigeants de la Chine et de l'Amérique faisaient leur propre sommet, un « G2 », accordaient leurs violons sur les principaux sujets du moment. A moins que – et ceci expliquerait la mine tendue de Barack Obama – cette réunion fût celle d'un créancier (la Chine) face à son débiteur impécunieux (l'Amérique). La Chine, du fait de l'excédent gigantesque de sa balance de paiements[1], notamment vis-à-vis de l'Amérique qui lui achète ses produits manufacturés, est le principal détenteur d'obligations du Trésor américain[2] : il est normal qu'elle demande des comptes à son débiteur américain. Il est même raisonnable qu'elle aille jusqu'à le sermonner sur sa gestion impécunieuse.

_____

1. La Chine détiendrait plus de 2 700 milliards de dollars d'excédents, si l'on veut bien croire les statistiques de la People Bank of China.

2. D'après les rapports du Trésor américain, dits « TIC », la Chine posséderait 900 milliards de dollars d'obligations du Trésor américain à la fin avril 2010. Le vrai chiffre est nettement supérieur (double, triple ?), car ce montant ne prend pas en compte les achats effectués par des courtiers et des banques non chinoises.

Dans cette scène inattendue, deux détails me troublèrent. D'abord, les officiers de sécurité étaient trois à quatre fois plus nombreux côté chinois que côté américain. Comme si le président chinois était plus important que le président américain, dont l'économie est pourtant trois fois plus grande, et la force militaire sept fois plus puissante[1].

L'autre détail est protocolaire, et donc essentiel lorsqu'il s'agit de rencontres entre chefs d'Etats : politesse mal placée, ou vraie faiblesse, Barack Obama a accepté de sortir le premier de la salle. Comme si le véritable hôte et propriétaire des lieux était déjà la Chine, reléguant le président américain au rang de débiteur imprévoyant que l'on éconduit comme un gêneur.

Les semaines qui suivirent cette scène volée confirmèrent mes impressions. Le 12 novembre 2009, alors que toute l'Europe se retrouvait à Berlin pour fêter la chute du Mur, obtenue en grande partie par l'Amérique de Ronald Reagan, Barack Obama était bien loin. A Washington DC, pour réviser les *slides* de son Power Point qu'il allait présenter à la Chine les jours suivants, essentiellement pour tenter de la rassurer sur l'état des finances de l'Amérique.

Depuis quand l'Amérique, à travers son Président, devrait-elle rendre des comptes à une autre puissance souveraine ? L'Amérique est-elle dans une telle gêne financière qu'elle préfère plaider sa cause auprès d'une dictature se réclamant toujours du communisme, plutôt

---

1. Mesurées par les PIB et par les budgets consacrés à la Défense. Source : Bloomberg et FMI.

228 *Vingt mille milliards de dollars*

que de serrer les rangs avec ses alliés les plus proches, les démocraties européennes ?

Combien de temps l'Amérique pourra-t-elle accepter ce qui commence à ressembler à une servitude ? Jusqu'où ira-t-elle pour amadouer son banquier, qui la tient désormais par les cordons de la bourse : jusqu'à accepter l'annexion de Taïwan ? l'invasion du Tibet ? l'Anschluss avec le Japon ? L'Amérique a-t-elle fait tout ce chemin, de l'Indépendance conquise sur la première puissance mondiale de l'époque, l'Angleterre, jusqu'à la victoire sur les nazis en 1945, et les Soviétiques en 1989, pour finir par se soumettre au bon vouloir d'une dictature asiatique ?

L'avenir dira si cette analyse est exagérée. Mais en mettant bout à bout l'histoire américaine, ma compréhension de la culture américaine et la capacité des Américains à tout remettre en cause, à renverser la table, pour survivre aux crises et aux défis les plus récents, je me dis que cet asservissement annoncé n'est justement pas américain. Pragmatisme oblige, il y a certainement une solution pour y échapper. Comme l'aurait dit Churchill, « on peut faire confiance aux Américains pour trouver la bonne solution – après avoir exploré toutes les autres ».

Dans cet esprit, explorons les possibilités et scénarios qui s'offrent actuellement à l'Amérique pour desserrer cet étau de dettes qui la contraint, au point de risquer de devenir demain le jouet d'une puissance étrangère. Je distingue quatre scénarios, et quatre seulement : le scénario de l'erreur technique ; le scénario « *go to hell*, version *light* » ; le scénario « *go to hell*, version *hard*» ; et le scénario diabolique, que l'on garde pour la Fin[1].

Le scénario de l'«erreur» technique (probabilité : 1 %)

Ce scénario n'est pas très crédible : disons 1 % de probabilité d'occurrence. Mais, depuis la journée du 6 mai 2010, nous savons qu'il est techniquement possible aux robots des marchés (*traders* humains et ordinateurs confondus) de faire disparaître mille milliards de dollars en vingt minutes. Et sans laisser de traces ni d'explication rationnelle à ce phénomène ! Cette réussite spectaculaire des places de marché les plus sophistiquées du monde ouvre de sérieux espoirs pour le Trésor américain : pourquoi ne pas laisser les susnommés robots de marché déployer à grande échelle leurs talents de nettoyeurs de milliards de dollars ? S'il faut vingt minutes pour faire disparaître mille milliards de dollars, il faudrait moins de sept heures pour faire disparaître vingt mille milliards de dollars...

---

1. *Caveat* : certains de mes amis économistes, notoirement plus prudents que moi, les trouveront polarisés à l'extrême. Sans doute. Mais après le coup de semonce de la crise financière de 2008, qu'ils n'avaient pas vu venir (à l'exception notoire de Nouriel Roubini), le plus grand danger est sans doute de s'en tenir à des anticipations trop conformistes. Ou à des modèles mathématiques trop parfaits pour comprendre la réalité du monde. Dans de nombreux domaines, et pas uniquement le domaine financier, il apparaît que nous entrons dans une période d'événements de singularité, pour reprendre l'expression – et les thèses – de Ray Kurzweil, développées dans *The Singularity is near*. L'accélération des progrès de la technique dans de nombreux domaines (sciences, finance, biologie, etc.) multiplie les phénomènes de «singularité», hors normes, et auxquels nous ne sommes pas préparés. Voir aussi les ouvrages de Jacques Ellul dans ce domaine.

Ce scénario n'est pas sérieux. Mais le *flash crash* toujours inexpliqué du 6 mai 2010 l'était-il davantage ? Il a clairement montré que les marchés financiers, qui échangent tout et n'importe quoi chaque jour – et notamment les obligations d'Etat –, sont des endroits où les échanges sont si rapides (des décisions au millième de seconde – le *high-speed trading*), sur des places de plus en plus opaques (*dark pools*) et hors de tout contrôle national ou international, que tout peut y arriver. Même l'effacement de la dette publique américaine, dont il est d'ailleurs très difficile de connaître précisément l'identité et la géographie de ses créanciers.

Mais allons vers un scénario plus crédible.

Les scénarios « go to hell » (probabilités : 29 %)

Comme leur nom l'indique, ils sont assez grossiers. Ils méritent d'être contextualisés et affinés. Ces scénarios partent d'une réalité que j'ai découverte dans mes nombreux échanges avec des responsables financiers, politiques et même spirituels américains : les Américains, non seulement ne peuvent pas rembourser leur dette, mais n'ont aucune intention de le faire.

— *« Pourquoi voulez-vous que nous remboursions notre dette ? »*

Un des dirigeants d'un *think tank* très républicain, ancien de l'administration Reagan, me résuma parfaitement l'état d'esprit de l'élite politique américaine vis-à-vis de leur dette nationale, lors d'une réunion à New York au printemps 2010. Les appels à la responsabilité fiscale se multipliant aux Etats-Unis à ce moment-là, je lui demandai s'il ne craignait pas que, les déficits s'aggravant, l'Amérique perde sa notation « triple A » des grandes agences de notation [1] – ce qui entraînerait mécaniquement une montée du coût de la dette publique américaine. Il éclata de rire : « Mais non, voyons. Dans le sport, on appelle cela le *home-team bias* : la préférence pour l'équipe locale. Les équipes de Fitch, Standard and Poor's et Moody's qui donnent des notes sur la dette américaine sont toutes américaines ! Pourquoi voulez-vous qu'ils nous dégradent ? S'ils le faisaient, ils seraient bannis ici ! Aucun club, aucune université ou école ne les accepterait. Ne vous inquiétez pas pour la dette américaine. *You should rather worry about Europe.* » Bien vu, quelques semaines avant la crise grecque et européenne, singulièrement aggravée par l'attitude des agences susnommées, et dont je me demande toujours pourquoi on ne leur a pas interdit d'exercer leurs activités commerciales depuis leurs exploits de la crise des *subprimes* [2].

Un peu désarçonné, je reviens à la charge face à ce

---

1. Les agences américaines de notation ont des actionnaires très respectables : l'Américain Warren Buffett (Moody's), le Canadien McGraw-Hill, et même un Français, M. Lacharrière. Ces sociétés commerciales un peu étranges attribuent des notes sur des titres de dettes émis par des entreprises, des banques, des Etats... ces derniers étant les propres clients des agences ! Comme si, à l'école, les élèves pouvaient payer les professeurs qui leur donnent des notes.

2. Une littérature abondante traite de ce sujet, notamment le *Briefing Paper* de l'Institut Montaigne de mars 2009, « Reconstruire la finance pour relancer l'économie ».

taliban du principe de Laffer, selon lequel «trop d'impôt tue l'impôt». Son but dans la vie est effectivement de supprimer toute forme d'impôt de la surface de la terre en général, et de la terre américaine en particulier. L'objectif ultime étant la disparition de toute forme de gouvernement (*sic*). Je lui fais part de mon admiration devant une si haute ambition, mais lui demande comment, en supprimant les impôts, il compte rembourser la dette extérieure américaine.

Sa première réaction fut de me faire répéter la question. Il ne l'avait pas comprise. Je m'exécute.

Il me regarde et réfléchit avant de répondre : «Pourquoi voulez-vous que nous remboursions notre dette? C'est bien, la dette. C'est de l'argent que vous ne possédez pas, et qui vous permet de faire plein de choses. C'est ce que font l'Amérique et les Américains depuis toujours. *Any other questions ?*»

Non, je n'ai plus d'autres questions : j'ai ma réponse sur l'origine de la crise de 2008, et sur la crise qui vient. En Amérique, littéralement, la dette ne compte pas, puisque c'est l'argent des autres. On s'arrange toujours pour éviter qu'elle soit un problème pour le pays. Il y a toujours un moyen de s'en débarrasser, et de laisser le créditeur s'en débrouiller. Ainsi des *ratings* AAA complaisants et dénués de tout fondement, qu'il s'agisse de la dette publique américaine ou des *subprimes*. C'est le problème du créancier, pas celui de l'Amérique, le pays où l'on abandonne ses dettes aussi facilement que l'on respire, comme Detroit le démontre, avec les faillites de General Motors, et les abandons de prêts hypothécaires par les foyers.

Dans mes discussions avec des financiers et entrepreneurs américains, une image revenait régulièrement pour expliquer cette stratégie de survie typiquement américaine : « Si vous nagez dans la mer avec un ami, et que vous croisez un requin, le but n'est pas de nager plus vite que le requin – c'est impossible – mais bien de nager plus vite que votre ami. » Message reçu cinq sur cinq par les Européens qui ne cessent de subir les chocs de la finance américaine (crise des *subprimes*, Lehman Brothers, attaques spéculatives contre la Grèce, l'Espagne, le Portugal, etc.). A la guerre comme à la guerre, tant pis pour ses amis, l'important est d'être le *last man standing*. Surtout ne pas être la victime, celui qui se fait avoir. Le *sucker*, comme on dit à Wall Street.

Une ultime confirmation de cette attitude me fut donnée par une autorité religieuse américaine. Pour ne pas embarrasser cette figure d'une église qui m'est étrangère, appelons-la Mr Jack. Mr Jack vint un jour dîner à la maison. Républicain farouche, Mr Jack tombe en effroi devant le portrait de Barack Obama dessiné par Annemarie Wright, qui orne un mur de notre salon. Nous discutons des chances de réélection de Barack Obama. Mr Jack en fait une bouillie. A l'entendre, l'Amérique est au bord du précipice, tout va mal, et Obama court à la défaite aux élections de novembre. Trouvant le jugement excessif, je lui oppose différents arguments, dont un, important à mes yeux : d'après un sondage récent de la BBC publié en avril 2010, l'opinion mondiale sur l'image de l'Amérique est redevenue positive, après huit années d'opinions négatives, alimentées notamment par la présidence Bush.

Mr Jack, qui a dédié sa vie à une mission universelle, reconnaîtrait certainement que tout n'est pas mauvais dans l'action du président Obama. Si ce dernier réconcilie l'Amérique avec le monde, renoue les fils du dialogue avec la Russie, le monde musulman, pousse au désarmement nucléaire concerté, n'est-ce pas là l'œuvre d'un artisan de la paix universelle ? Quel homme de Dieu oserait rejeter de tels progrès ? La réponse de Mr Jack résonne encore dans mes oreilles : « L'opinion mondiale est positive sur l'Amérique ? *Thanks for sharing, Edouard* – merci de partager cette info. *But who cares ?* »

Amen. En Amérique, même les hommes de Dieu sont d'abord américains. Et, quand bien même ils seraient comme Mr Jack cultivés au point de parler une langue européenne et de voyager régulièrement en dehors de l'Amérique, contrairement aux trois quarts[1] des Américains qui ne détiennent pas de passeport, l'opinion et le sort du reste du monde semblent ne pas peser bien lourds dans leurs balances.

Comment peut-on concevoir qu'une telle élite et une telle nation se préoccupent de rembourser leur dette au reste du monde ?

Ce qui nous amène à deux scénarios pour une même possibilité : le défaut sur la dette américaine.

---

1. Estimation du State Department cité par le *New York Times* le 1er octobre 2006.

— *Le scénario « go to hell », version light (probabilité : 20 %)*

Ce scénario a une chance sur cinq de se produire dans les prochains mois ou prochaines années.

Un beau matin, par exemple lors d'un week-end prolongé où les marchés boursiers américains seraient fermés un vendredi ou un lundi, le directeur du Trésor américain annonce dans un communiqué laconique que les cotations des obligations d'Etat américaines sont suspendues *sine die*, en attendant que les principaux créanciers de l'Amérique en acceptent les nouveaux termes. Par exemple, les obligations à un an seraient remboursées plus tard, à 2 ans, 5 ans, 10 ans[1]. Cela s'appelle un *rééchelonnement* unilatéral de la dette. L'exercice est assez désagréable pour les créanciers qui espéraient être remboursés à temps. A charge pour eux de se débrouiller avec leurs propres banquiers.

On peut imaginer aussi que le Trésor américain impose unilatéralement à ses créanciers un *haircut* – un vocabulaire de garçon coiffeur pour désigner une réalité ébouriffante : les créanciers acceptent de ne récupérer qu'une partie (la moitié, le quart ?) de leur prêt. Ils ont pris un risque, ils ont perdu : c'est le principe du *Chapter 11*, appliqué avec le succès que l'on sait sur General Motors et Chrysler.

Lorsque l'on prend une longue-vue historique, ce phénomène de défaut souverain (un Etat qui ne rembourse pas ses créanciers) est d'une banalité affligeante. La remarquable étude du professeur Ken Rogoff, publiée dès le mois d'avril 2008, le montre de façon

---

1. Les journées fériées de janvier (Martin Luther King's Day et President's Day) et le Memorial Day fin mai sont des candidates intéressantes pour ce genre d'exercices.

limpide : pratiquement tous les pays du monde, d'une façon ou d'une autre, finissent par faire défaut sur leur dette. Il n'y a aucune raison historique, culturelle ou magique, pour que les Etats-Unis fassent exception à cette règle[1].

Il faut bien comprendre que ce moment sera une tragédie économique pour le monde entier, compte tenu de la masse des sommes en jeu. Ce rééchelonnement, ce potentiel *haircut*, signifierait concrètement que toutes les SICAV monétaires américaines, composées de ces obligations, ne vaudraient plus rien, ou plus grand-chose, d'un coup. Idem pour les milliers de milliards détenus par les Chinois, Japonais, Européens, pays du Golfe, etc. On peut espérer que, le jour où cela arrivera, les Etats-Unis essaieront de gérer ce choc de façon multilatérale, en s'appuyant sur les meilleurs experts en renégociation de dette souveraine, à savoir le FMI et le Club de Paris[2].

On doit aussi anticiper et craindre que les Américains, qui détestent viscéralement depuis leur Indépendance

1. *This Time is Different : Eight Centuries of Financial Crises*, écrit avec Carmen Reinhart, University of Maryland. Certains de mes interlocuteurs anglo-saxons dans la finance repoussent cette menace d'un revers de main, expliquant que, contrairement aux PIIGS, aux pays d'Amérique latine, d'Asie, d'Europe continentale, la Grande-Bretagne et les Etats-Unis, eux, n'ont JAMAIS fait défaut. Outre le caractère contestable de cette information (le FMI venu en catastrophe éviter la faillite au Royaume-Uni en 1976), l'argument est convaincant jusqu'à ce que l'épreuve des faits le mette en pièces. Par ailleurs, la dette américaine n'a «que» deux siècles d'existence, ce qui représente le quart de la période étudiée par K. Rogoff et C. Reinhardt.
2. www.clubdeparis.org, plus de cinquante ans d'expérience de gestion des crises souveraines, de l'Argentine au Gabon en passant par la Russie, l'Indonésie, etc.

l'idée même de rendre compte à quelqu'un d'autre qu'eux-mêmes, choisiront une route plus directe.

— Le scénario «go to hell», version hard (probabilité : 9 %)

Ce scénario est plus agressif, et moins probable que le précédent. Disons, 9 % de probabilité d'occurrence. Imaginez un Président soucieux de faire passer les intérêts immédiats de l'Amérique et des Américains avant toute autre considération de postérité ou d'image personnelle dans le monde. Un Président pragmatique, doté d'une solide culture du résultat, ne cherchant pas à encombrer ses raisonnements et son action avec la complexité du monde. Pour le meilleur, un Ronald Reagan. Pour le pire : une Sarah Palin, dont on aurait tort de sous-estimer le potentiel électoral sinon éditorial.[1]

Pour ce Président, l'équation est simplissime, et un de ses futurs conseillers pourra la lui résumer ainsi – idéalement avec des *slides* Power Point :

— *Slide 1* : L'Amérique a trop de dettes.

— *Slide 2* : La dette, c'est mauvais pour l'Amérique.

— *Slide 3* : … sauf lorsque les Américains la possèdent, dans ce cas-là, le service de la dette (les intérêts

---

1. En 2009, son livre *Going Rogue* a été l'essai (*non fiction*) le plus vendu en Amérique, avec 2,7 millions d'exemplaires, loin devant son challenger au titre contre-intuitif : «Agis comme une dame, réfléchis comme un homme» (*Act Like a Lady, Think Like a Man*, de Steve Harvey – 1,7 million d'exemplaires). Source : *Publishers' Weekly*.

financiers) reste en Amérique, et peut être réinvesti en Amérique.

— *Slide 4* : Il faut que l'Amérique arrête de s'endetter et de dépendre des autres. Tant pis s'il faut pour cela se couper un bras, consommer et emprunter moins à l'avenir : depuis 1776, l'indépendance (énergétique, financière, politique) est au-dessus de tout dans ce pays.

— *Slide 5* : En revanche, pourquoi l'Amérique devrait-elle continuer de rembourser et de payer des intérêts à des puissances étrangères ? Ces pays créditeurs, qui détiennent près de 4 000 milliards de dollars en obligations du Trésor américain, qui sont-ils au juste ? La Chine, le Japon, les pays du Golfe, le Venezuela ? En d'autres termes : des pays que nous protégeons militairement ; des dictatures musulmanes ; un adversaire qui monte (la Chine) et un ennemi déclaré (le Venezuela).

— *Slide 7* : Monsieur/Madame le Président, les intérêts de l'Amérique exigent de ne pas rembourser ces 4 000 milliards de dollars. Nos alliés nous doivent bien plus : la sécurité militaire. Quant à nos adversaires, *hang them tight* !

— *Slide 8* : Le plus tôt vous l'annoncerez, le mieux ce sera pour votre stature présidentielle. Le Congrès et le Sénat seront à vos pieds. Surtout, pour reprendre le titre du livre a succès de Mitt Romney[1] : *No Apology*. Ne vous excusez pas. Les créanciers de l'Amérique ont

---

1. Candidat malheureux à la présidentielle américaine de 2008, haut dignitaire de l'Église mormonne, et par ailleurs star du *private equity* (Bain Capital) ayant sauvé les Jeux olympiques de Salt Lake City en 2002.

fait comme les clients des banques de Wall Street : ils ont joué ; ils ont perdu. *Too bad !*

Les conséquences de cet acte de guerre économique seront assez prévisibles : la guerre tout court, qui accompagne toujours les périodes d'appauvrissement brutal. Soulignons aussi que les grands créanciers de l'Amérique[1], qui seraient ainsi immédiatement lésés, formeront immédiatement une coalition d'intérêts. La Chine, le Japon, la Russie, tous les pays du Golfe, deviendront les meilleurs amis des ennemis de l'Amérique, Venezuela, Iran, Corée du Nord en tête. Si on ne se fait pas la guerre pour quelques milliards de dollars, on n'hésite pas à la faire lorsque la somme non remboursée, d'une certaine façon volée, représente des dizaines d'années de travail et de sueur de votre pays, et des dizaines d'années d'accumulation de patrimoine de ses habitants.

On peut imaginer que même Sarah Palin, si elle devait être élue, aura des conseillers pour l'avertir que l'Amérique n'a peut-être pas intérêt à déployer un scénario aussi agressif. L'Amérique, très pragmatique, sait bien depuis le Vietnam, et sans doute bientôt avec l'Afghanistan, qu'elle n'a plus les moyens de faire voire de gagner des guerres militaires. Surtout si elle réussit à coaliser le reste du monde contre elle.

Je donne donc à ce scénario une probabilité de « seulement » 9 %.

---

1. Dans l'ordre : la Chine (900 milliards de dollars), le Japon (795 milliards), la Grande-Bretagne (321 milliards), les pays exportateurs de pétrole (239 milliards). Source : Trésor américain, rapport NTICI, avril 2010.

Il reste un dernier scénario pour que l'Amérique ne rembourse pas sa dette au monde entier, et donc nous appauvrisse, et s'appauvrisse elle-même, de dizaines de milliers de milliards de dollars. Ce scénario est le plus terrifiant. Il a selon moi une probabilité d'occurrence de 70 %, dans les prochaines années si ce n'est les prochains mois. C'est le scénario diabolique. Il est, comme un lent poison, inodore, incolore, silencieux. Il est pourtant à l'œuvre dans nos économies et nos sociétés depuis une quarantaine d'années. Nous faisons comme si de rien n'était. Ce poison a un nom. Il parcourt toutes les pages de ce livre, le déborde : il s'agit justement du dollar.

Le scénario diabolique (probabilité : 70 %)

Le dollar est un animal étrange et déroutant. Il achète tout et n'importe quoi en Amérique, et à ciel ouvert : la santé des personnes ; leur éducation ; les hommes politiques ; et même la justice, dont on saura s'attirer les faveurs en finançant la campagne électorale de « son » juge, ou en ayant recours aux meilleurs avocats.

Le dollar ignore les limites de la bienséance. Il dépasse les bornes, les frontières. Et le sens commun.

Il s'est ainsi bien moqué de moi, pendant mon séjour américain. Lorsque l'économie et la finance mondiales étaient en pleine euphorie, en 2006-2007, le dollar ne cessait de s'effacer par rapport aux autres devises. Puis, quand la crise de l'automne 2008 fut venue, il repartit en flèche, reprenant son statut traditionnel de « valeur-refuge ». Comme si les marchés tenaient pour nulle et non avenue l'explosion sans fin des dettes et déficits de l'Amérique. Pourtant, en toute logique, s'il faut fabriquer des milliers de milliards de dollars supplémentaires, non pas pour créer de la richesse future, mais pour éponger les crises et excès du passé, la valeur du dollar ne doit-elle pas baisser? Plus l'Amérique fabrique des pertes, donc dilapide sa richesse, plus elle s'autorise à fabriquer davantage de dollars! N'est-ce pas l'inverse qui devrait se produire?

C'est à y perdre son latin.

Mon rendez-vous arrive, et m'extirpe de ma perplexité. Je compte bien sur lui pour m'aider à mieux cerner la réalité, l'essence de ce dollar.

Frédéric Malle n'est pas alchimiste, mais éditeur de parfums. Il incarne une réalité de New York, insuffisamment perçue en France : le rayonnement des entrepreneurs et entreprises françaises dans les industries de création et de pointe aux Etats-Unis. De l'aéronautique à la finance, des cosmétiques à l'agro-alimentaire, en passant par le luxe et les médias, la présence croissante et forte des entreprises françaises[1] à New York et sur la côte Est américaine compense heureusement la disparition progressive de la France et de l'Europe dans l'agenda américain, disparition qui mériterait d'ailleurs que l'on s'en préoccupe de près.

Frédéric Malle est parti à la conquête du marché américain après avoir lancé son modèle économique en

---

1. A l'instar de Danone, Crédit agricole, AXA, JCDecaux, Dassault Aviation, Saint-Gobain, Vivendi, etc.

France, au début des années 2000 : la création originale de parfums, signés par des « nez » célèbres, et qu'il se charge d'éditer, de la même façon qu'il existe des éditeurs littéraires. Lorsque je lui expose ma requête un peu saugrenue – identifier l'essence du dollar, capturer son odeur pour que je comprenne mieux cet animal étrange –, Frédéric Malle est dubitatif. « Ce n'est pas simple… il faudrait avoir beaucoup d'imagination, voyez-vous : il n'y a pas une odeur pour le dollar. Regardez tous ces billets. Les billets d'un dollar sont tous froissés, tâchés. Ils sont sales, très sales même. Leur parfum est bien plus tenace que celui de vos grosses coupures, qui ont été moins échangées, et ont donc moins vécu… Mais qu'allez-vous apprendre de ces odeurs-là ? Mes "nez" reviendront vers vous avec des essences de papiers et d'encres plus ou moins séchées. Je crois que vous faites fausse route. L'essence du dollar, réside justement dans toutes ces tâches et traces successives, qui marquent vos billets d'un dollar. Le dollar est un buvard, il est ce que l'on a bien voulu y mettre : du travail, de la sueur, de la crasse, et même du sang. Dans cette éponge, vous retrouverez l'essence de l'Amérique. »

Une éponge capable d'effacer des ardoises ?

Je reprends mes dollars, un à un. Ces bouts de papiers me fascinent. Frédéric Malle a raison : ils sont ce que l'on veut bien y mettre. Tout, ou rien. N'importe quoi, ou l'essentiel.

D'ailleurs, tous les billets, qu'ils soient de un ou de cent dollars, sont faits avec le même papier, la même couleur. Et ils sont tous de la même taille ! Il n'y a que le chiffre et les visages qui changent. Un dollar avec George Washington. Cent dollars avec Benjamin Franklin.

Et pourquoi pas demain, un billet à l'effigie de Barack Obama, ou de Sarah Palin, avec le montant suivant : 20 000 000 000 000. Un petit bout de papier, similaire à ce billet de deux milliards de deutsche Mark, édité en 1923, que j'ai conservé de mes séjours linguistiques en Allemagne.

Rembourser sa dette en monnaie de singe. La voilà, la solution !

D'autant plus que chaque billet émis par la Réserve fédérale a *force libératoire pour toute forme de dette, publique ou privée.* Je n'invente rien : je traduis la mention légale inscrite sur les dollars. « *This note is legal tender for all debts, public and private.* » Il n'y a plus qu'à imprimer ce bout de papier, et l'Amérique se sera acquittée de toutes ses dettes.

Hypothèse absurde ? Bien au contraire, cette création de monnaie virtuelle, de quasi-fausse monnaie, ne reposant sur rien de concret, rien d'autre que la volonté de l'Amérique de s'acquitter de ses dettes sans efforts aucun, et de faire payer la facture au monde entier, est une pratique presque aussi vieille que moi. Et qui explique pourquoi les gens de ma génération ont le sentiment étrange de connaître depuis quarante ans, non pas des coups d'Etat permanents, mais un état permanent de crises économiques et financières, à répétition.

Depuis le 15 août 1971, très exactement, l'Amérique fabrique des dollars, de l'argent « à partir de rien ». Et nous tous, Européens, Asiatiques, Africains, Russes, Japonais, l'avons suivie dans cette voie. Nous arrivons au bout de cette logique folle, de cette parenthèse dans l'histoire des monnaies du monde, qui aura duré quarante ans.

Le 15 août 1971, le président Nixon enterre, en direct à la télévision, la réalité et l'ambition de Bretton Woods : après la débâcle militaire et financière du Vietnam, qui aura englouti les finances publiques des Etats-Unis, l'Amérique exsangue est obligée de revenir sur sa promesse. Le dollar cesse d'être convertible en or. Il se détache de ce point fixe ; désormais, il « flotte » comme toutes les autres devises. La métaphore maritime est bonne : il n'est plus arrimé à rien ; il dérive au gré des vents et des courants, selon les humeurs changeantes du nouveau capitaine : les dirigeants successifs de la Réserve fédérale américaine.

Le résultat est aussi connu que les « Trente Glorieuses » ayant suivi Bretton Woods : libre de toute contrainte, le dollar se démultiplie. La Banque centrale américaine se met à en fabriquer par milliards. En finance, cela se dit « explosion de la masse monétaire ». Depuis 1971, la masse des dollars en circulation dans le monde a été multipliée par 21, tandis que la richesse de l'Amérique, mesurée par son PIB, a augmenté sept fois moins vite[1]. Autrement formulé : pour éponger ses dettes et continuer d'avancer, l'Amérique a dû recourir à une inflation massive, dévaluant dans un premier

---

1. Source : Institut Montaigne, note de mars 2009 : « Reconstruire la finance pour relancer l'economie ».

temps le dollar contre toutes les autres monnaies mondiales – et encore davantage contre l'or. Pour éviter de s'arrêter brutalement, comme dans les années 1930, l'Amérique s'est lancée dans une industrie nouvelle : la production illimitée de dollars.

Cette politique fut très efficace pour l'Amérique – qui conserva son *leadership* économique mondial – mais moins pour le reste du monde. Les créanciers de l'Amérique furent remboursés en monnaie de singe (le dollar prêté dans le passé valant bien plus cher que le dollar remboursé, du fait de l'inflation) ; l'Amérique relança son économie grâce à des exportations soutenues par une monnaie artificiellement affaiblie ; enfin et surtout, pour se protéger davantage, l'Amérique eut recours à des pratiques protectionnistes d'une violence inouïe, imposant des surtaxes[1], des barrières douanières, en même temps qu'elle subventionnait ses industries agricoles (cotonniers du Midwest), automobiles (voir *supra* chapitre « Detroit : le Purgatoire »), sidérurgiques, etc. Une pratique qui perdure, comme en témoignent les rapports annuels de l'OMC, et que l'administration Obama a récemment exacerbée[2].

Ce viol complet des accords de Bretton Woods, dans leur lettre comme dans leur esprit, était-il un moment

---

1. Surtaxe de 10 % sur tous les produits importés, dès le 15 août 1971.

2. Entre autres mesures, et sans parler des subventions agricoles à côté desquelles la PAC européenne est une aimable plaisanterie : clauses de « *Buy American* » interdisant l'importation de fer et d'acier pour les projets d'infrastructure, droits de douanes de 35 % sur les pneumatiques chinois en septembre 2009, reniement d'importantes dispositions du traité de libre-échange NAFTA, pénalisant notamment les transporteurs routiers mexicains, etc.

d'exception ? Telle était en tout cas l'idée du président républicain Richard Nixon, qui voyait le décrochage du dollar comme une mesure temporaire.

Quarante ans après, le provisoire s'est installé. Le désordre monétaire issu de 1971 est particulièrement troublant pour l'esprit : toutes les monnaies, hier mesurées à l'aune du dollar-or, sont désormais relatives. Cette situation amène une cohorte d'autres désordres.

Le FMI a remarquablement résumé cette instabilité constante et croissante du système économique et financier mondial depuis 1971, soulignant qu'entre-temps, le monde avait connu 124 crises bancaires, 205 crises de crédit, 63 crises d'Etats souverains, et une cinquantaine de crises cumulant ces phénomènes.

Un des effets immédiats de cette instabilité monétaire est une inflation massive qu'aucune autorité ne peut plus contrôler, et que l'on masque aux peuples en truquant les statistiques officielles de l'inflation, comme le font avec application et précision les instituts statistiques des grands pays développés. Ainsi de l'INSEE en France, qui réussit l'exploit de sortir de l'indice des prix à la consommation l'élément le plus important du coût de la vie aujourd'hui : le logement. Mais les mesures de la *core inflation* en Grande-Bretagne et aux Etats-Unis notamment sont encore plus fausses, puisqu'elles excluent le coût de la nourriture et de l'énergie (transport, chauffage, etc.). Avec ces données, que peut-on mesurer d'autre que le prix des produits fabriqués en Asie, délocalisation oblige ? Ces tours de passe-passe ont comme effet principal de limiter la hausse des salaires que les employés des secteurs privés et publics seraient en droit de réclamer, du fait du renchérissement du coût de la vie. Ces phénomènes mondiaux et masques de planche à billets créent des désordres financiers sans fin, les masses d'argent produites ou reprises par les Banques centrales mondiales variant selon le bon plaisir de leurs dirigeants – les banques privées étant priées de suivre le mouvement pour accorder des prêts à l'économie réelle, marges incluses. Autre conséquence dramatique pour nos économies et nos sociétés : l'explosion de produits dérivés[1] pour se protéger (un peu) et spéculer (beaucoup) face aux changements incessants des parités monétaires – où l'on retrouve nos amis les *traders*...

Une conclusion préliminaire s'impose : quand l'Amérique va mal, quand elle perd ses guerres (Vietnam, en l'occurrence), et est criblée de dettes, elle n'a pas d'autre choix que d'exporter sa crise au reste du monde. Une expression populaire le résume bien aux Etats-Unis : « Quand l'Amérique s'enrhume, le monde attrape froid. » Fin 2008, en pleine crise financière, un industriel américain m'en donna une version plus agressive, et plus actuelle : « *When the US catches a cold, the world gets pneumonia.* »

Message reçu. Nous sommes en 2010. Comme en 1971, l'Amérique est criblée de dettes. Comme en 1971, elle vient d'engloutir une fortune considérable dans des

---

1. 596 000 milliards de dollars (montant notionnel des produits dérivés *over-the-counter*). Source : Banque des règlements internationaux.

guerres perdues d'avance. Lorsqu'en 2011 l'armée américaine aura battu en retraite en Afghanistan comme en Irak, quel autre choix raisonnable aura le futur président américain, à part celui de faire tourner la planche à billets encore plus vite et encore plus fort que ne le firent Nixon et ses successeurs dans les années 1970, après la débâcle du Vietnam ?

Bis repetita ? Les années 2010 sont dans une configuration très similaire à celle des années 1970, qui furent des années d'inflation et de crises, à deux détails près : les économies du monde entier sont encore plus interdépendantes les unes des autres ; et le volume de monnaie à émettre par la Réserve fédérale américaine, ne reposant sur rien d'autre que des fausses promesses de rembourser plus tard, est devenu incommensurable, quasi infini.

Contrairement aux Européens et notamment aux Allemands, le gouvernement américain semble ne pas se soucier de ce puissant mécanisme inflationniste. Prisonniers, parfois pour le meilleur, de leur pensée positive, il estime que de toute façon, il arrivera toujours à vendre ses dollars au reste du monde, de gré ou de force. Sans verser dans une nauséabonde théorie du complot, je constate que le climat de crise autour de l'euro au printemps 2010, savamment entretenu par les agences de notation, médias et spéculateurs anglo-saxons mentionnés plus haut, arrange formidablement bien les affaires de l'Amérique. Plus l'euro est décrédibilisé comme alternative au dollar, plus le monde riche, ancien et nouveau, détenteur d'excédents monétaires, est contraint et forcé de continuer d'acheter des dollars.

Et de jouer avec. La folie de ce robinet de dollars grand ouvert, et que personne ne semble en mesure d'arrêter, est illustrée par le comportement des marchés mondiaux des changes, totalement décorrélés de la vie réelle économique du monde, où les *traders* – encore eux – aidés en cela par les banquiers, même les plus respectables, empruntent jusqu'à dix, cent, mille fois la mise, chaque jour, ou plutôt chaque fraction de seconde, pour spéculer. Un chiffre, un seul, illustre cette démence : chaque jour, plus de 4 000 milliards de dollars[1] sont échangés sur le marché mondial des changes. En un an, cela représente un marché d'un million cinq cent mille milliards de dollars échangés. Près de trente fois le PIB de la Terre. Bref, cela représente absolument n'importe quoi, si ce n'est l'activité de *traders* armés de produits sophistiqués et de dettes que leur prêtent des banques ayant perdu tout sens des responsabilités, préférant détourner des crédits utiles à l'économie réelle et à nos sociétés, au profit d'une poignée de financiers et de robots de marché, sans que l'on sache véritablement lequel des deux mène l'autre.

Il faut souligner l'extrême nocivité de ce marché littéralement débile, « cassé », pour les acteurs de la vie économique réelle : qu'ils soient investisseurs financiers mondiaux de long terme, ou grands exportateurs, tels

---

1. Mesuré par la Banque des règlements internationaux en avril 2007. Sans doute ce chiffre est-il deux, trois, cinq fois plus important aujourd'hui, compte tenu des désordres accrus depuis la crise des *subprimes*.

l'aéronautique, l'agro-alimentaire, etc., ils doivent
dépenser des fortunes pour se «couvrir» contre ces
risques de change aussi irrationnels qu'imprévisibles.
En Europe, une des principales victimes de ce yo-yo est
l'industrie aéronautique, grande pourvoyeuse d'emplois
– à la différence de mes amis des *hedge funds*[1].

Est-ce que le dollar fou va réussir, pour reprendre le
mot et sans doute l'objectif de Lénine, à «avilir» toutes
les monnaies de papier du monde, et ainsi à mettre par
terre les économies et sociétés capitalistes en s'y déver-
sant à l'infini? Ce ne serait pas le moindre des paradoxes
pour le pays de la Liberté.

Quand est-ce que ce déluge de dollars, provenant du
robinet percé de la Fed, s'arrêtera?

Le moment où tout s'arrête est connu, et dûment
répertorié dans l'histoire des monnaies du monde entier:
ce moment, en général précédé d'une pointe, d'un
emballement de la machine à fabriquer des billets, sur-
vient lorsque la confiance dans la monnaie, goutte à
goutte ou d'un seul coup, disparaît irrémédiablement. A
ce moment-là, on bascule dans un autre monde, infer-
nal.

---

1. A lire à ce sujet le délicieux témoignage de M. John Paulson face au
Congrès américain (U.S. House of Representatives Committee on Oversight
and Government Reform, novembre 2008). Ce grand spéculateur, s'étant
enrichi en jouant activement à la baisse l'immobilier américain (notamment
grâce au concours de Goldman Sachs, contre qui la SEC a déposé une plainte
pénale à ce sujet), y expliquait sans rire que son activité était formidable pour
l'économie américaine, puisqu'il avait multiplié ses effectifs par dix. Effectivement, sa firme était passée de 7 à 70 personnes en... quatorze années. Les
millions de chômeurs américains peuvent envoyer leurs CV à www.paulson
investment.com/careerx.htm

En effet, que se passe-t-il lorsque la monnaie devient folle, au point de perdre toute valeur ? Les Européens, et singulièrement les Français et les Allemands, ont contrairement aux Américains le « bénéfice » de cette expérience historique. En France, ce fut la période des assignats pendant la Révolution française. Ces bouts de papier permirent à une petite oligarchie – on dirait aujourd'hui une kleptocratie – de s'enrichir prodigieusement en volant les biens du clergé dont la valeur avait été « assignée » à ces papiers. Las, les guerres révolutionnaires vidèrent tellement le Trésor public que cette oligarchie accéléra l'émission de cette fausse monnaie, afin de combler les fins de mois. La conséquence directe de l'effondrement (de 90 %) de la valeur de ces assignats fut d'ouvrir l'une des périodes les plus noires de l'histoire de France : la Terreur de MM. Robespierre et Guillotin. Il fallut attendre Napoléon et une significative entreprise de redressement des finances publiques pour mettre un terme à cette barbarie.

Idem pour l'Allemagne des années 1920 : condamnée à payer des « réparations » au titre de la guerre de 14-18, d'un montant dépassant largement ses moyens, l'Allemagne fut contrainte, elle aussi, d'imprimer de la monnaie à grande vitesse, pour rembourser ses dettes en monnaie de singe. La suite est connue : derrière mon billet vert de 2 milliards de deutsche Mark des années 1920 commençait d'apparaître l'effigie de M. Hitler. A la folie des nombres monétaires qui ne signifièrent plus rien – on avait besoin de brouettes de billets de millions de deutsche Mark pour acheter du pain – succéda la folie barbare du nazisme et des chambres à gaz.

Aujourd'hui, nous sommes en 2010. Et la principale différence que je vois entre la monnaie qu'imprime actuellement la Réserve fédérale américaine, et dans son sillage les Banques centrales européennes et japonaises, et la monnaie des assignats de la Révolution française et des deutsche Mark des années 1920, est une différence d'échelle et de géographie : cette fois-ci, pour la première fois dans l'histoire, le risque d'une perte massive et instantanée de la valeur des monnaies est désormais mondial. Et pèse des dizaines de milliers de milliards de dollars.

«Are you ready ?», pour reprendre une publicité américaine célèbre. Comment peut-on se préparer face à un tel scénario apocalyptique, ou, si nous en avons encore la possibilité, comment peut-on s'en protéger, survivre à cet enfer annoncé, jusqu'au jour d'après ?

Pour la réponse à cette question, je vous donne rendez-vous au Paradis.

Conclusion

Le Paradis : les jours heureux[1]

> « Il y a un temps pour tout [...] un temps pour
> naître, et un temps pour mourir [...] un temps
> pour abattre et un temps pour bâtir [...] un
> temps pour la guerre, et un temps pour la
> paix. »
>
> L'Ecclésiaste, 3, 1-8.

Lac Champlain, samedi 17 juillet 2010

Voilà, c'est fini. Dans dix jours, je serai de retour à Paris.
Mon séjour américain trouve ici sa conclusion, et ce livre
aussi. Pour dire au revoir à l'Amérique avant de retrouver
la France, le lac Champlain n'est pas le plus mauvais
endroit. Frontière naturelle entre le Québec, le Vermont
et l'Etat de New York, ce lac doit son nom à Samuel de
Champlain, un des nombreux aventuriers et entrepreneurs français qui ont fait l'Amérique[2]. Il y a quatre siècles.

---

1. D'après le titre du programme du Conseil national de la résistance,
publié le 15 mars 1944.
2. Champlain, *La Naissance de l'Amérique française*, Septentrion.

Et si le Canada, produit d'une histoire mélangée, aussi britannique que française, apportait justement la bonne réponse, le bon modèle face aux défis économiques actuels ? C'est un fait : dans de nombreux domaines (santé, finances publiques, système bancaire, politique d'immigration, cohésion sociale) le Canada s'en sort bien mieux que les Etats-Unis. Ce pays d'entrepreneurs, bilingue et biculturel, catholique et protestant, a le sens des équilibres et de la mesure. Ainsi, sa loi constitutionnelle de 1867 ne repose pas sur une *pursuit of happiness* débridée et individualiste, mais sur la quête de paix, d'ordre et de bon gouvernement (« *peace, order and good government* »).

Singulier contraste avec son grand voisin du sud.

In paradox we trust

Au moment de tirer le bilan de ces années américaines, de séparer les actifs des passifs, je reste aussi déconcerté qu'en arrivant trois ans plus tôt quant à la capacité des Etats-Unis à vivre avec des paradoxes et même des incohérences sans fin. Il n'y a pas une Amérique, ni deux, ni trois, mais bien davantage. Il n'y a pas l'Amérique de la côte Est, qui serait plus civilisée, celle de la côte Ouest qui serait plus innovante et brutale, ou celle du Midwest qui serait bigote, repliée sur elle-même et vide. Ce serait trop facile. Le Midwest, ce sont peut-être les 79 églises de Manhattan, Kansas. C'est aussi la tradition du *barn raising* : les fermiers qui se regroupent par dizaines de familles et construisent ou reconstruisent en une journée la grange de leur voisin. Ne pas dépenser plus que ce que l'on a ; créer des solidarités évidentes et immédiates entre fermes voisines, car on ne peut pas faire face, seul, aux aléas de la vie et du climat, dans les Grandes Plaines dévastées par les cyclones et les tornades. L'Europe n'a pas le monopole des approches coopératives et mutualistes[1].

Les paradoxes de cette Amérique plurielle sont innombrables, et n'ont cessé de resurgir ces derniers jours. Comme pour m'empêcher de rédiger une conclusion définitive sur une réalité en perpétuel mouvement : celle du pays *pro-life* par excellence. Un pays qui épouse tout de la vie, le meilleur – son jaillissement, sa nouveauté, ses possibilités infinies (d'où la priorité donnée à tout ce qui vient de naître) comme le pire – sa brutalité, son injustice et sa part absurde.

Le paradoxe américain se retrouve dans cette région de la Nouvelle-Angleterre, où je me trouve. C'est là que s'est construit le code américain. Le débarquement du *Mayflower*. Les colons établis à Plymouth, et qui donnent naissance dès les années 1620 à la plus belle fête des Etats-Unis, celle de Thanksgiving. Une journée entière à *être remerciants*. Parce que la vie est d'abord un cadeau que l'on reçoit, et non un dû donnant des droits de tirage illimités dans tous les domaines. On ne comprend rien à

---

1. Qui sont par ailleurs une des réponses les plus évidentes et les plus fortes à la crise actuelle que traverse le capitalisme. Lire notamment à ce sujet la définition du mutualisme par René Carron, président du Crédit agricole de 2002 à 2010, sur www.forum-events.com (Bordeaux Management School).

l'Amérique si on ne comprend pas Thanksgiving : la priorité donnée aux autres, à commencer par les plus petits et les plus dépendants – les enfants. La priorité donnée à sa famille sur toute autre considération : la fortune, le pays, les idées, si belles soient-elles, passent après. Thanksgiving, c'est aussi le *give-back*. Rendre ce que l'on a reçu. Les Américains sont les champions du monde en termes de philanthropie : en 2009, ils ont donné 300 milliards de dollars à des associations caritatives[1]. Et les Américains les plus riches, la pointe de l'élite de ce pays, trouvent que ce n'est pas suffisant. Ironie du calendrier : lorsque sort le classement 2010 du magazine *Challenges* des 500 premières fortunes françaises en pleine affaire Bettencourt, le magazine *Fortune* dévoile d'autres dessous-de-table. Ceux du dîner pour le « *600 billion dollar challenge* », une initiative que MM. Gates et Buffett voulaient garder aussi secrète qu'un compte en Suisse. Ils veulent convaincre les 400 plus grandes fortunes américaines de faire comme eux : s'engager par écrit à léguer au moins la moitié de leur fortune de leur vivant, ou à leur mort. Qui dit mieux[2] ?

La générosité des Américains est sans bornes. Mais revêt une condition préalable *sine qua non* : avoir écrasé toute forme de compétition. Tant que l'on ne domine pas l'autre de la tête et des épaules – et tous les moyens sont

---

1. Source : GivingUSA 2010.
2. L'essentiel étant de participer, Mme Liliane Bettencourt et M. François-Marie Banier peuvent contacter de ma part MM. Gates et Buffett, ou encore MM. David Rockefeller, Ted Turner, Michael Bloomberg, Pete Peterson, etc., après avoir lu l'article « The $ 600 billion challenge », dans *Fortune* (16 juin 2010).

bons pour y arriver – alors c'est le chacun pour soi, et *God* reconnaîtra les siens. Les abus de positions dominantes des plus grandes firmes américaines en 2010 n'ont rien à envier à ceux des trusts des années 1930. Les mêmes comportements se retrouvent sur les autres champs de bataille, qu'ils soient diplomatiques et militaires[1]. Ou monétaires : le « privilège exorbitant[2] » du dollar n'est pas un accident de l'histoire, mais la pointe d'une longue tradition américaine.

Merci l'Amérique

Don't get me wrong. Je suis né dans une région du nord de la France où l'on sait particulièrement bien tout ce que nous devons aux Américains. La cathédrale de Soissons où se sont mariés mes parents porte encore les traces des obus de la guerre de 14-18. Or à New York, tous les matins, je passais devant le monument aux morts sur la 5e Avenue, au niveau de la 77e Rue. Il est à la mémoire du 107e régiment d'infanterie des Etats-Unis, composé en partie de jeunes New-Yorkais de l'Upper East Side s'étant portés volontaires pour se faire tuer sur les champs de bataille du nord de la France. Les mêmes, ou leurs cadets, reprirent le chemin de l'Europe un quart de siècle plus tard pour nous libérer de la barbarie nazie.

---

1. Même avec les propres alliés de l'Amérique – voir à ce sujet le traitement réservé aux troupes de l'OTAN, britanniques comme françaises, en Afghanistan.
2. Un grand emprunt fait à Valéry Giscard d'Estaing, qui a formulé cette expression dès 1965.

Nous sommes débiteurs de l'Amérique, et moi le premier, à bien des égards. L'Amérique qui veut la liberté et la prospérité du monde existe et pas uniquement au passé. J'ai ainsi eu la chance pendant ces trois années américaines d'échanger et de travailler avec le CED (Committe for Economic Development), *think tank*[1] à l'origine du plan Marshall, qui a permis à l'Europe de se reconstruire après la guerre, et d'échapper à l'enfer du communisme.

Tout prendre de l'Amérique ? Non, merci.

Prendre le meilleur de l'Amérique, et ne pas hésiter à s'en inspirer. Mais est-ce pour autant qu'il faut TOUT accepter de l'Amérique ? « Le débarquement de Normandie, formidable. L'AMGOT, pas d'accord », me disait un jour Pierre Wiehn[2]. Je ne savais pas alors ce qu'était l'AMGOT. L'American Military Government for Occupied Territory était le projet d'administration militaire de la France par les Etats-Unis d'Amérique, dans la foulée du débarquement de 1944. Comme pour les pays vaincus

---

1. Parmi les priorités actuelles du CED, présidé par le francophone et francophile Charles Kolb : remettre l'Amérique sur les rails de l'orthodoxie budgétaire ; lutter contre la corruption rampante du système judiciaire (« *Justice for Hire* ») ; maintenir et préserver coûte que coûte le dialogue avec les démocraties européennes de l'Est et de l'Ouest, à rebours de la tendance avérée de l'administration Obama à tourner le dos à l'Europe pour mieux embrasser l'agenda et les priorités de l'Asie.
2. Membre de la « bande à Desgraupes » et directeur des programmes d'Antenne 2 lorsque cette chaîne devançait TF1 en part d'audience. Auparavant directeur de France Inter (« écoutez la différence »).

tels le Japon, l'Allemagne, l'Autriche, l'Italie, l'AMGOT avait tout prévu pour la France de l'après-guerre, à commencer par sa mise sous tutelle militaire et administrative par les Etats-Unis d'Amérique. N'eût été le Conseil national de la résistance de Jean Moulin, l'action du général de Gaulle rendue possible par les Britanniques, et la libération de Paris par la 2e division blindée de Leclerc, cet ultime cadeau de l'Amérique à la France, accompagné de billets de cent francs imprimés sur le modèle du dollar, aurait vu le jour.

Sorry, guys : ce sera sans nous.

Finir comme les Indiens d'Amérique, c'est-à-dire assimilés, massacrés ou bien relégués au rang de sous-citoyens[1] au bord de la route 160, au nord de l'Arizona, avec de splendides musées vides[2] en guise d'excuses pour l'éternité ? Non, merci.

Subir sans réagir les actions en cours de racket des institutions financières européennes, au nom de la lutte contre le terrorisme[3] (*sic*) ? Non, merci.

Accepter sans broncher qu'une poignée de parlementaires californiens, instrumentalisés par tel ou tel grand groupe industriel américain voulant garder pour eux seuls tout le marché des futurs TGV américains, fasse soixante

---

1. Le taux de suicide des jeunes (15-24 ans) Indiens d'Amérique est trois fois supérieur à la moyenne nationale des Etats-Unis (source : *New York Times*, 9 juin 2007). Le taux de chômage dans certaines réserves atteint 90 % ; 42 % pour les Indiens navajos (source : navajobusiness.com).

2. A ne pas manquer la visite du surréaliste musée des Amérindiens à Battery Park, à New York : des galeries vides, des costumes pittoresques, mais rien sur le massacre des Indiens d'Amérique.

3. Les centaines de millions de dollars d'«amendes» payées par le Crédit suisse, Lloyd's, ABN Amro au titre de l'OFAC.

ans après les faits le procès de la SNCF, de la Deutsche Bahn et des entreprises ferroviaires nippones[1] ? Non, merci.

Ne rien dire ni rien entreprendre pour empêcher les Etats-Unis de détruire un pays, berceau d'une des plus anciennes civilisations du monde – la Mésopotamie – parce que tel est le bon plaisir de MM. Bush et Cheney et qu'il faut faire marcher les affaires de Halliburton ? Non, merci.

Accepter par la loi ou par décret que de grandes compagnies pétrolières (qu'elles soient britanniques, françaises, américaines ou brésiliennes n'est pas la question) souillent nos mers de façon quasi infinie, comme l'administration américaine a autorisé BP et d'autres à le faire au large du golfe du Mexique ? Non, merci.

Laisser les banques et *hedge funds* américains continuer de déployer dans le monde entier leurs pratiques les plus dangereuses pour nos économies et nos sociétés, inchangées depuis la crise de 2008 ? Non, merci.

Enfin, continuer d'acheter et de vendre notre gaz, notre pétrole, nos avions, nos matières premières, nos denrées agricoles avec une monnaie de singe ; laisser reposer le système financier mondial sur une devise synonyme de déficits à l'infini ; continuer (que nous soyons Chinois, Japonais, Britanniques, Moyen-Orientaux ou Européens n'est pas la question) d'être obligés d'acheter des obligations du Trésor américain dont on sait pertinemment qu'elles ne seront jamais remboursées ? Non, merci.

---

1. Proposition de loi du député californien Bob Blumenfield, approuvée par le Sénat californien le 1er juillet 2010.

Il y a un temps pour tout. Le temps du dollar roi, assis sur une prospérité américaine réelle et partagée, qui coïncidait avec le temps de la domination sans partage des Etats-Unis dans les domaines militaire (Afghanistan), idéologique (crise du laisser-faire à la mode Greenspan), économique et financier (la crise de 2008), ce temps-là touche à sa fin. Sous nos yeux.

Imaginer le monde de l'après-dollar, avec l'Europe

Il ne reste plus qu'à imaginer le monde de l'après-dollar. Mieux vaut le faire sans attendre d'autres désordres, plus sérieux que ceux de 2008.

Ces pages conclusives ne suffiront pas pour venir à bout d'une aussi vaste entreprise. Cela étant, mes trois années d'expérience américaine, et mon identité d'Européen né en France vingt-cinq ans après la fin de la Seconde Guerre mondiale, m'autorisent à esquisser ce qui suit.

« *Right or wrong, this is my country*[1]. » On peut s'en réjouir ou le déplorer, mais les Européens ne seront JAMAIS des Américains, et réciproquement. Ce qui marche pour les uns ne fonctionne pas pour les autres. Or, depuis au moins deux décennies, il semble que les grandes et vieilles nations occidentales se soient toutes empressées de jouer une partition qui n'était écrite ni par

---

1. Je m'approprie cette très américaine formule de Carl Schurz, révolutionnaire allemand du printemps des peuples, devenu général nordiste puis sénateur américain à la fin du XIXᵉ siècle (*sic*). La citation exacte est : « *My country, right or wrong ; if right, to be kept right ; and if wrong, to be set right* » (discours au Sénat américain, février 1872).

elles, et encore moins pour elles. Cette partition, inspirée par la pensée magique du laisser-faire des marchés, promeut l'absence de règles pour vivre en société, veut faire de l'argent le maître absolu de toutes choses et de tous êtres ici-bas, et voue toute forme de gouvernement aux gémonies, au point de faire de l'Etat une Bête immonde. Cette partition, *pursuit of happiness* oblige, fait certainement le bonheur des bonimenteurs de Wall Street et la fortune des lobbies ayant fait main basse sur Washington DC.

Mais au nom de quoi faudrait-il que de grandes nations, à juste titre fières de s'être construites autour de valeurs supérieures à celles de Wall Street, parmi lesquelles la gratuité, l'intérêt général et l'esprit de service, s'échinent aujourd'hui même à continuer d'adopter le modèle économique et social le plus défaillant de ce début de XXIᵉ siècle ?

Il faudra qu'un jour quelqu'un m'explique pourquoi, deux ans après la crise financière du siècle, *made in USA*, et alors que les signaux d'une éventuelle déflation économique se multiplient en Europe, des nations éclairées comme la Grande-Bretagne, l'Allemagne, la France et d'autres, s'évertuent à sanctionner, à coups de restrictions budgétaires, d'impôts supplémentaires sur les appareils productifs et de taxes punitives contre les contributeurs à notre richesse collective, les acteurs qui se sont le mieux comportés avant, pendant et après cette crise. A savoir, dans l'ordre : les fonctionnaires en charge de l'éducation de nos enfants, de notre santé, de notre sécurité civile et militaire, et de notre justice ; les entreprises pourvoyeuses d'emplois, qui se battent dans une économie mondiale ultra-compétitive ; et les épargnants qui, grâce à leur discipline budgétaire, financent les activités des uns et les investissements des autres. Combien de centaines de milliers d'emplois publics comme privés faudra-t-il supprimer pour que continuent, avec l'assentiment acheté des agences de notation, les opérations de *high-speed trading* de quelques *robots-traders* à Londres, Hong Kong et New York ? Pourquoi se laisser dépouiller par ces gens et ces programmes-là, dont l'objet social est de spéculer sans retenue sur nos monnaies, nos denrées agricoles, la dette de nos gouvernements, et le contrôle de nos entreprises ? Encore combien de crises des *subprimes* venues de Wall Street hier, de Hong Kong demain (voir la surchauffe du marché immobilier chinois), avant que quelqu'un, quelque part, se décide à protéger l'épargne du travail comme du capital, d'Europe comme d'Asie, en la mettant à l'abri des zinzins zappeurs décrits précédemment ?

Que faire, concrètement ? Copier les Américains là où ils sont les meilleurs :

1. *Se protéger*

La même école de pensée magique, décrite plus haut, a réussi le tour de force assez spectaculaire de diaboliser l'une des activités les plus essentielles à la survie de l'espèce humaine, à savoir *se protéger* des dangers qui la menacent. Or, si l'on devait organiser les championnats du monde de l'art de se protéger, les Américains seraient médailles d'or dans tous les domaines, et pas uniquement dans le football américain. Le protectionnisme de fait des grandes firmes américaines, pas seulement dans la finance, saute aux yeux à la lecture du catalogue à la Prévert des atteintes américaines au libre-échange que recense la très indépendante Organisation Mondiale du Commerce[1]. Mention spéciale pour Hollywood, les cotonniers, les avionneurs, les marchands de pneus, les sidérurgistes, les fabricants de logiciels américains, les géants de l'internet (liste non exhaustive).

Se protéger, c'est d'abord se donner les moyens de répliquer œil pour œil, dent pour dent, aux agressions de l'attaquant, quel qu'il soit. Je me limiterai[2] à trois exemples actuels : l'affaire du TGV de Californie, le comportement de Wall Street, qui n'a retenu aucune leçon de la crise, et les limites à l'utilisation du dollar.

— Le TGV de Californie : à quel moment du film les législateurs européens formuleront-ils le projet de loi contenant l'article suivant : « Toute entreprise ayant son siège social dans un pays associé avec le génocide de millions d'Indiens d'Amérique, depuis 1776, ne saurait se voir attribuer des commandes privées et marchés publics européens, de plus de 100 000 euros » ? Après cela, on s'appelle, on déjeune, on rediscute calmement des besoins et attentes des uns et des autres, et on fait

---

1. www.wto.org
2. Sur d'autres fronts, écologiques et sociaux, il faudra aussi envisager sérieusement, et pas trop tardivement, l'adoption de tarifs douaniers différenciants. Autrement formulé : imposer des taxes écologiques et sociales afin de cesser l'encouragement tacite actuel au travail des enfants dans les ateliers d'Asie du Sud-Est, et au transport par avions longs courriers de produits agricoles et manufacturiers.

affaire. Ce qui n'exclut pas d'entretenir *ensuite* des relations amicales. En revanche, s'il fallait perdre son temps à expliquer aux législateurs de Sacramento l'existence du réseau Résistance-Fer des cheminots français, ou à leur (ré-)apprendre que le territoire français avait dans les années 1940 des voisins un peu envahissants ; s'il fallait s'échiner à convaincre ces messieurs que le Japon et l'Allemagne de 2010 ont suffisamment payé pour les crimes des régimes nazis et dictatures impériales d'il y a soixante ans, le TGV ne verrait définitivement jamais le jour en Amérique. Ce qui est bien dommage, compte tenu de la vétusté des infrastructures ferroviaires américaines, dont les trains les plus rapides avancent péniblement à la vitesse d'une Peugeot 205 junior en montée[1].

— Quant à Wall Street, faut-il vraiment attendre que les robots du NYSE et les comportements des principales banques américaines fassent définitivement sauter le système bancaire mondial, pour envisager des mesures de bon sens ? Faut-il attendre les calendes grecques pour que le législateur européen propose le projet de loi disposant que «les banques et institutions financières ayant des activités avérées (liste non exhaustive) de *proprietary trading*, de prêts à des *hedge funds* et autres investisseurs court-termistes, et finançant toutes autres activités spéculatives inutiles et dangereuses pour nos économies et nos sociétés, ne peuvent opérer sur le

---

1. Modèle 1989, bien connu de l'auteur – qui n'exagère pas la comparaison : le train le plus rapide de la côte Est américaine, l'Acela Express (*sic*) reliant New York à Washington DC, avance à la vitesse moyenne de 129 km/h.

marché européen[1] » ? Après, on s'appelle, on déjeune, on rediscute calmement, etc.

— Enfin, le dollar. Je ne suis pas marchand de pétrole, ni producteur de blé, ni fabricant d'avions, encore moins exportateur de produits chinois. Mais si je l'étais, je me poserais sérieusement la question de la devise à utiliser pour le paiement de mes prochaines factures. Sans entrer dans un débat d'experts, qui devrait constituer la trame des prochains sommets du G20, il paraît urgent de se protéger des défaillances présentes et à venir du dollar, en rétablissant diverses formes de contrôle des changes, ainsi que commencent de le faire certains grands pays, tels le Brésil, l'Inde ou l'Afrique du Sud, soucieux de ne pas laisser des afflux de dollars déstabiliser leurs marchés intérieurs[2].

Ces premières initiatives visant à protéger nos économies de la dangerosité du dollar mériteraient d'être encouragées, et sans doute concertées au niveau des économies du G20. D'autant plus que les principaux détenteurs de dollars dans le monde commencent à s'en désengager. Qu'il s'agisse des fonds souverains chinois, moyen-orientaux, ou des investisseurs les plus chevronnés (même américains), on constate une véritable fuite en avant vers les actifs tangibles, le plus loin possible

---

1. Un article à affiner avec précision, certaines activités de finance de marché n'étant pas totalement inutiles au bon fonctionnement de nos économies. Voir les notes de l'Institut Montaigne en 2009 à ce sujet.

2. Effets de *carry-trade*, particulièrement bien expliqués dans un article de Gillian Tett et Peter Garnham (*Financial Times*, 29 avril 2010, « Carried-away »).

du dollar. Ainsi du Koweït qui s'organise pour que son pétrole soit payé avec un panier de devises (un « mélange » de dollars, d'euros, de yens, de livres sterling). Ainsi de la Chine, dont la diversification à marche forcée de ses avoirs en dollars a démarré il y a trois ans : *land grabbing*, acquisition de millions (*sic*) d'hectares de terres arables en Afrique, en Amérique latine, en Asie ; achat de compagnies minières au Canada, en Australie, en Asie centrale à coup de dizaines de milliards de dollars ; prises de participations significatives dans les plus grandes sociétés européennes cotées. TSD : tout sauf du dollar ! Ainsi de Warren Buffett *himself*, dont le sens des affaires et le patriotisme sont avérés, et qui réalisa en novembre 2009 la plus grosse acquisition de sa vie : 26 milliards de dollars, essentiellement en cash, convertis dans des actifs tangibles, durs comme du métal – la société de chemins de fer Burlington Northern Santa Fe, trente mille kilomètres de voies ferrées, 6 510 locomotives, 85 000 wagons.

Dans le monde entier, les meilleurs investisseurs se détournent du dollar, de peur que cette monnaie, reposant sur des promesses intenables, ne vaille plus rien demain. C'est ainsi que l'or, le pétrole, les matières premières, l'immobilier, continuent d'éponger ces excédents de masse monétaire, ce *dumping* de dollars provenant du robinet grand ouvert de la Réserve fédérale américaine. *To dump*, en anglais, signifie déverser, jeter à la poubelle.

Se protéger du dollar. Rétablir une forme de contrôle des changes. Et préparer une monnaie mondiale alternative plus solide, dans tous les sens de l'adjectif[1]. La bonne exécution d'un tel agenda suppose ce qui suit.

2. Ne compter que sur soi-même

« Aide-toi, le ciel ne t'aidera pas. » J'emprunte cette devise très américaine à un administrateur et chef d'entreprise français, Henri Lachmann, qui sait comment se battre contre, et avec, des groupes américains. Dans la crise qui vient, au niveau des personnes comme des nations, il faudra apprendre, ou réapprendre, à ne plus tout attendre de l'autre. Ne plus tout attendre de l'Etat notamment : prendre en charge les activités qu'il n'a plus les moyens de financer, afin qu'il se concentre sur l'essentiel, à savoir ses fonctions régaliennes. C'est particulièrement vrai dans un domaine essentiel où les Européens, et une grande partie du monde occidental, dépendent excessivement des Etats-Unis d'Amérique : la défense.

La retraite annoncée d'Afghanistan et d'Irak ; le délabrement des finances publiques américaines ; enfin et surtout la chute prochaine du dollar, pointent tous dans la même direction : la diminution du rôle de gendarme du monde, jusque-là joué par les Etats-Unis. Certains de mes

---

1. On pourra utilement relire à ce sujet John Maynard Keynes, et retravailler son idée géniale de système du bancor, sorte de droits de tirages spéciaux assis sur un panier de matières premières. Sans doute l'alternative la plus intelligente aux deux monnaies du passé, à savoir l'or et le dollar. Les groupes de travail des prochains sommets du G20 auraient intérêt à y consacrer le temps nécessaire, au lieu d'essayer de micro-manager les *conséquences* de la crise financière.

contacts dans les *think tanks* à Washington et à New York, spécialisés dans ces questions, me l'ont dit sans ménagement. Ainsi de Doug Bandow, ancien conseiller sécurité de Ronald Reagan (un *track-record* estimable : la chute du mur de Berlin), et qui milite activement pour la suppression de l'OTAN et un désengagement complet de l'armée américaine en Europe[1]. Je lui fis un jour part de mon scepticisme et d'une certaine inquiétude, compte tenu de la menace, lointaine mais possible, d'agressions militaires provenant notamment de Russie (l'attaque récente de la Géorgie) ou encore de futurs missiles iraniens dotés d'ogives nucléaires. Sa réponse était très drôle dans la forme, pas du tout sur le fond : « *Are you kidding me ?* Avec votre richesse supérieure à la nôtre, vous les Européens, vous pouvez faire ce que vous voulez. Vous mettez, allez, 4 % à peine du PIB de l'Union européenne, et vous avez un budget militaire équivalent au nôtre[2]. »

Problème : à part la Grande-Bretagne et la France, il semble qu'aucun pays dans l'Union européenne, et surtout pas le plus riche d'entre eux, à savoir l'Allemagne, ne veuille consacrer de tels investissements à cette priorité commune, dont la pertinence a pourtant été éprouvée.

Mais il faudra bien à un moment, à la lumière de ce retrait annoncé, réétudier de près l'ordre de nos priorités. Se demander, à l'échelle d'un pays comme la France, s'il est bien raisonnable de toujours considérer nos budgets de diplomatie (moins de 5 milliards d'euros) et de défense

---

1. « Departing Europe », article du 13 juillet 2010, www.nationalinterest.org
2. Plus de 600 milliards de dollars.

(30 milliards d'euros) comme perpétuelle variable d'ajustement à la baisse, afin de maintenir et préserver les 400 milliards d'euros de budget annuel de la Sécurité sociale. Est-ce que, afin de préserver l'essentiel de notre couverture sociale, et de financer les budgets régaliens nécessaires à notre sécurité civile et militaire et à notre présence dans le monde, il n'est pas nécessaire et urgent de faire à nouveau la « chasse au gaspi » ? Supprimer des dépenses de confort et des gabegies répertoriées depuis longtemps, pour éviter que nos sociétés fondées depuis très longtemps sur des systèmes de secours et d'assistance mutuels ne s'effondrent d'un coup, faute de financements. Faire jouer davantage les solidarités les plus évidentes (familiales et de proximité) pour éviter de finir avec un système de santé pire que celui de l'Amérique. Et sans moyens de sécurité civile et militaire.

3. Relever le défi de la confiance et de l'union

Face à de telles ambitions, la réponse convenue est d'affirmer que « cela ne marchera jamais ». En Europe, et particulièrement en France, ce slogan publicitaire résume assez bien l'état d'esprit du moment. *Non possumus*, chacun pour soi, et advienne que pourra.

Et si, au lieu de cette pensée négative qui est notre meilleure garantie de l'échec, nous essayions le *yes we can* de Barack Obama ? Une amie américaine, Ashley, m'en a un jour parfaitement résumé le mode d'emploi, alors que nous discutions des vertus comparées des systèmes éducatifs français et américain : « Nous ne sommes pas plus intelligents que vous. Nous sortons du lycée en sachant probablement moins de choses que vous. Pourtant nous avons plein de prix Nobel, nous sommes allés sur la Lune, la plupart des grandes inventions du XXᵉ siècle, et sans doute du XXIᵉ siècle, sont et seront américaines. Tu sais pourquoi ? Parce que, dès le berceau, *we are taught to have big dreams*. On nous apprend à avoir confiance en nous, à faire des rêves immenses, et à croire que nous pouvons les réaliser. Et ça marche. » En effet, à l'école américaine, les encouragements succèdent aux félicitations, les applaudissements aux louanges. Aux Etats-Unis, c'est comme cela que les enfants – les miens pourraient en témoigner – apprennent à dépasser leurs limites et leurs doutes, et parfois leurs handicaps.

Au bout du chemin, les acquis s'appellent la confiance en soi et dans son avenir. La confiance dans son pays, qui peut être à l'échelle d'un continent.

Et si, comme les Américains savent le faire, nous acceptions de nous regarder enfin tels que nous sommes, au lieu d'entretenir comme une *Schadenfreude* cette mésestime de nous-mêmes et cette désunion patente, qui sont le chemin le plus sûr vers le suicide collectif[1] ?

---

1. Tous les grands pays de l'Union européenne peuvent prétendre, dans le domaine de l'irresponsabilité collective et des égoïsmes nationaux, à une place sur ce podium : on ne reviendra donc pas sur le comportement insulaire de la Grande-Bretagne lors de la crise de l'euro, celui de l'Allemagne avec la Grèce, ou encore celui de la France et de son « Grand » Emprunt étroitement national, et de son viol permanent des critères de Maastricht, en temps de crise comme de croissance.

L'Europe en 2010, c'est 500 millions d'habitants. Un PIB supérieur à celui des Etats-Unis, et près de trois fois supérieur à celui de la Chine. L'Europe aujourd'hui, c'est deux mille ans d'histoire. C'est la réussite quotidienne, quasi miraculeuse, de la coexistence de communautés chrétiennes, juives, musulmanes, athées, en nombre bien plus important qu'aux Etats-Unis. La question raciale y est autrement mieux gérée qu'en Amérique, où l'exception Obama n'arrive pas à masquer des fractures indépassables. L'Europe du XXIe siècle, c'est le sens de la mesure, le souci de ne pas complètement piller l'environnement dont nous avons hérité, la recherche constante de l'équilibre, le dialogue permanent car vital avec ses voisins.

L'Europe, c'est la quête de la Justice et la mise en œuvre de la justice au quotidien, sans avoir besoin de payer les campagnes électorales de ses juges. L'Europe, c'est le devoir d'assistance à personne en danger, pas la clause hypocrite du bon Samaritain. C'est l'Assistance publique plutôt que l'assistance privée des hôpitaux privés, facturant le client à plusieurs milliers de dollars par jour, pour accroître la fortune d'une poignée de financiers.

L'Europe, c'est la culture, et même l'exception culturelle – *honni soit qui mal y pense*. L'affirmation qu'il n'existe pas une seule façon de penser, de voir, d'écrire, de filmer le monde ; le désir, non pas d'intégrer ou d'*assimiler* des populations venues du monde entier pour les conformer à notre mode de pensée, mais bien de les faire vivre ensemble, dans plusieurs langues, religions et couleurs de peau.

Et si, au lieu de se travestir en ce qu'elle n'est pas (l'Amérique), l'Europe profitait de cette crise pour reprendre conscience de ce qu'elle est ? A savoir aujour-d'hui le plus grand marché économique mondial. Poten-tiellement demain la première puissance économique mondiale. Et après-demain, une Nouvelle Europe inté-grant à part entière ses grands voisins qui sont aussi son avenir : la Turquie, la Méditerranée, l'Afrique.

Et cette puissance en devenir a laissé ces derniers mois quelques grappes de *traders* jouer impunément avec un de ses outils essentiels de souveraineté : l'euro, la seule alter-native crédible dans le monde actuel face à la si peu crédible monnaie américaine ?

Ce géant ne mérite-t-il pas de mieux se défendre et s'organiser, comme le font les Américains?

A côté du défi de la confiance en soi, c'est le second et sans doute l'ultime défi de l'Europe, si elle veut continuer d'exister dans le monde qui vient, et ne pas simplement jouer le rôle du ballon entre les grands Etats-continents du XXIe siècle : le défi de l'union politique.

Je ne sais pas si une telle organisation pourra voir le jour rapidement. Lors de la crise financière de 2008-2009 et de la crise grecque, les institutions supranationales, telles l'Union européenne (ou l'ONU), ont brillé soit par leur absence, soit par leur incapacité à répondre. « La revanche du plan Fouchet[1] sur le plan Monnet », pour reprendre les termes d'un dirigeant de banque française.

---

1. Article 1er du premier plan Fouchet (2 novembre 1961) du traité établissant une Union d'Etats : « Il est institué par le présent traité une Union d'État, ci-après désignée par le terme "l'Union". L'Union est fondée sur le respect de la personnalité des peuples et des États membres : égalité des droits et des obligations. Elle est indissoluble. »

Car il viendra pour l'Europe un temps où ses bricolages de coin de table, décidés hâtivement le temps d'un week-end, dans des réunions convoquées à la dernière minute, ne suffiront plus. Il viendra un temps où il faudra choisir d'aller plus loin, ensemble, ou de régresser chacun dans son coin, à l'abri de ses intérêts nationaux, de plus en plus étriqués – et de moins en moins visibles depuis Shanghai, Mumbai, Brasilia ou Washington.

Il y a un temps pour tout. Le temps de l'Europe communautaire, le temps des gloubi-boulgas concoctés par les bureaucrates de Bruxelles, nommés et non pas élus, ce temps est révolu. L'union politique de l'Europe mérite mieux que la recherche permanente et efficace du plus petit dénominateur commun, dans son *leadership* comme dans ses ambitions.

L'Europe, ce n'est pas cela. L'Europe, c'est d'abord l'Europe des Etats qui fonctionnent. C'est l'Europe des peuples, de toutes races, cultures et confessions. Cette Europe-là a aujourd'hui une représentation parlementaire, à Strasbourg. Pourquoi attendre pour lui donner tous les pouvoirs associés à sa légitimité démocratique, à laquelle les innombrables commissions bruxelloises, manœuvrées par d'habiles lobbyistes insulaires – *my hat to them* – ne pourront jamais prétendre ?

Il viendra en effet un temps où cette nouvelle Europe, à l'instar de l'Amérique entre 1776 et 1814, ne pourra plus se contenter d'une union politique minimaliste à l'image du traité de Lisbonne actuel – comme le furent les *Articles of Confederation* pour l'Amérique au début du XIXᵉ siècle.

Il viendra un temps où l'Europe communautaire rabougrie n'aura plus qu'une alternative : quitter la scène du XXIe siècle, celui des Etats-continents ; ou au contraire, sortir de ce temps de crise par le haut. Ce projet ne va pas se faire sans difficulté, surtout si l'Europe doit affronter une nouvelle crise avec des armes émoussées, notamment en matière économique et monétaire[1], et des forces de repli importantes actuellement à l'œuvre dans chaque pays. Ainsi, la folie masochiste actuelle des coupes budgétaires aveugles, au moment précis où l'économie européenne s'essouffle, n'a sans doute pas d'équivalent depuis les années 1930.

Existe-t-il, pour ma génération et celles qui viennent, un projet plus urgent et plus essentiel que celui-ci : devenir les Etats-Unis d'Europe ? Pas uniquement pour tenter de prolonger l'existence et les valeurs humanistes de la civilisation européenne au XXIe siècle. Mais aussi parce que le projet européen, internationaliste par définition, est la seule réponse possible aux défis du monde à venir, qu'ils soient sociaux, militaires, économiques, environnementaux.

Faire les Etats-Unis d'Europe. Adopter la vraie devise américaine, bien plus durable et prometteuse que le dollar : *E pluribus unum*[2].

---

1. Il faudra, à un moment, réfléchir très sérieusement aux limites du mandat de la Banque centrale européenne, qui nous empêche de lutter à armes égales avec le reste du monde (un mandat anti-inflationniste, et qui se désintéresse de la croissance et de l'emploi).
2. Devise des Etats-Unis d'Amérique, signifiant « plusieurs (Etats) qui ne font qu'un ».

Remerciements

Je remercie tout particulièrement les personnes suivantes qui m'ont aidé à comprendre l'Amérique plurielle,
ses vingt mille milliards de dollars, et ce que cela signifie
pour nous tous, demain :

Bertrand Badré, Marie-Hélène et Patrick de Carbuc-
cia, Etienne Celier s.j., Paul Corriveau, Shanny Peer,
Ashley et Alexander von Perfall, Guy Rodwell, Régis
Turrini, Lisa et David Wolf.

Enfin, vingt mille et un milliards de mercis à toutes les
équipes de Grasset, qui permettent à ce livre d'exister et
de vivre sa vie.

TABLE

TROISIÈME PARTIE

Apocalypse tomorrow ?

Cet ouvrage à été imprimé
par CPI Firmin Didot
Mesnil-sur-l'Estrée
pour le compte des Éditions Grasset
en août 2011

Cet ouvrage a été composé par IGS-CP
à L'Isle-d'Espagnac (16)

Première édition, dépôt légal : octobre 2010
Nouveau tirage, dépôt légal : août 2011
N° d'édition : 16879 - N° d'impression : 107058
Imprimé en France